El Oscuro Secreto de G∴A∴D∴U∴

POR

Dra. Ana Méndez Ferrell

El Oscuro Secreto de G:.A:.D:.U:.

Ana Méndez Ferrell

Voice Of The Light Ministries

El Oscuro Secreto de G:.A:.D:.U:.
© Ana Méndez Ferrell.
1ª Edición.

Todas las referencias bíblicas han sido extraídas de la traducción Reina Valera, Revisión 1960.

Diseño de Portada: Ananda Lamas
anandalamas@gmail.com

Diagramación: Ananda Lamas y Nicolás Lavín
anandalamas@gmail.com

Editor de Contenido: Nicolás Lavín

Impresión por: Bookmasters, OH. Estados Unidos

Publicado por:

Voice Of The Light Ministries
P. O. Box 3418
Ponte Vedra, FL. 32004
Estados Unidos

www.VoiceOfTheLight.com

ISBN10: 1-933163-04-6
ISBN13: 978-1-933163-24-6

Dedico este libro al único y verdadero Dios, Jehová de los Ejércitos, a Jesucristo su hijo, y al Espíritu Santo. También lo dedico a Tania Warldorff, sin cuya ayuda y valor hubiera sido imposible la realización de este manuscrito.

ÍNDICE

PRÓLOGO

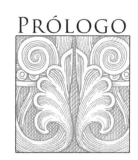

POR

Dr. Fernando Orihuela

La Masonería existe en más de ciento sesenta y cuatro países del mundo. De acuerdo a la enciclopedia británica se dice que la membresía es de seis millones de masones calificados a lo largo del mundo entero en sociedades secretas. Al menos quince mil trescientas logias operan en Estados Unidos y más de treinta y tres mil setecientas existen alrededor del mundo. Inglaterra tiene más de ocho mil logias con una membresía de seiscientas mil, Italia con quinientas sesenta y dos logias con veinticuatro mil miembros.

Cuba tiene trescientas veinticuatro logias y diecinueve mil setecientos veintiocho miembros. En Canadá hay ciento ochenta y tres mil miembros en mil seiscientas logias[1].

---

1 Henderson "*Masonic World*", pp. 106, 118, 165, 202, 230, 271.

Estas grandes cantidades son una razón de por qué la masonería es una influencia considerable en la sociedad mundial y en la iglesia. Se dice de que actualmente hay un adulto de cada diez dirigidos dentro del circulo de la influencia masónica[2].

Paul A. Fisher quien tiene una experiencia considerable en inteligencia militar y ha sido muy activo en la vida política, se refiere a la masonería como "una enorme influencia alrededor del mundo" y lista muchos editores de periódicos norteamericanos como masones. En los Estados Unidos de acuerdo a la revista masónica de Nueva Era muchos miembros de la National Press Club son masones. También Ficher observa que los masones han dominado la Corte Suprema de Los Estados Unidos desde 1941[3].

El concluye que tal influencia puede haber contribuido a que la Corte mueva lentamente el énfasis judío cristiano en los valores de la vida pública, ayudando a una paulatina secularización y trayendo una revolución liberal.

La primera vez que conocí del tema: masonería fue en 1994. En mis esfuerzos por ayudar a un joven cuyo padre era masón, descubrí un mundo de ocultismo y manipulación que tristemente había penetrado los muros de la iglesia.

Por dos años, después de esa oportunidad, me dediqué a entender y a conocer los intrincados laberintos de esta red global. Una de las mayores incógnitas que tenía era tratar de entender por qué la iglesia no había escrito acerca de este delicado tema en el pasado. Esto podía deberse a tres posibles razones: primero por ignorancia, segundo por falta de interés o quizás simplemente por saberse comprometida y, por lo tanto, sin autoridad para denunciar los intereses de esta logia.

En estos años, he podido descubrir el daño que la masonería

---

2 Fisher, "*Behinde the Lorge Door*", p. 248.

3 Ibíd, pp. 260-268.

ha hecho sobre las naciones, ciudades, familias e iglesias. Y he sentido también el silencio de los profetas de Dios de este siglo.

La Masonería es como un complejo rompecabezas que requiere mucho esfuerzo armar. Las personas llamadas a tal labor deben ser maestros con sentidos espirituales muy formados, o profetas con una fuerte unción magisterial. La obra que tenemos en nuestras manos es precisamente el producto de un ministerio con esta última característica.

Ana Méndez, más que una profeta es una reformadora, y como tal ha logrado un nivel de revelación que solo puede ser descrito como "altamente sobrenatural". Ella esta altamente calificada para esta labor.

Una de las características que ella posee es el profundo conocimiento del mundo espiritual. Esto le otorga una autoridad que va mucho mas allá del análisis teórico o especulativo; es una persona que ha confrontado al espíritu de la masonería muchas veces, tanto a nivel individual como a nivel territorial.

El ocultismo filosófico es complejo y peligroso; es un terreno en que Lucero fácilmente pasa por "ángel de luz". De ahí la importancia de esta obra.

Recomiendo este estudio ampliamente, seguro de que llenará una profunda necesidad y a la vez permitirá extender el Reino, desenmascarando los sofismas del enemigo.

Dr. Fernando Orihuela
Ministerio Kerigma Internacional

IMPORTANTE
NOTA DEL AUTOR

La Masonería pretende respetar todos los credos religiosos en la más amplia tolerancia y ser un instrumento de fraternidad universal y de benevolencia. Una cadena de amor, sabiduría y buenas costumbres que hermane al mundo.

Quizá usted, querido lector, ame a Dios con todo su corazón, o tal vez haya pasado por la maravillosa experiencia de hacer a Jesucristo su Señor y Salvador. Tal vez piense que la Masonería no se contrapone al único Dios verdadero y que usted puede practicar su fe y frecuentar la Logia Masónica sin ninguna consecuencia. Si esto es verdad y G∴A∴D∴U∴, el Gran Arquitecto del Universo es el verdadero Dios, entonces usted no corre ningún peligro al frecuentar la Logia. Sin embargo, si es posible demostrar que esa parte secreta, que los más altos grados ocultan con tanto celo, es que la Masonería es un culto abierto a satanás, entonces éste es el libro más importante que ha caído en sus manos.

Si usted no es un hombre religioso, sino alguien que está en la búsqueda de las respuestas fundamentales de la vida, y por esta causa se inició en esta orden, este libro lo ayudará a encontrar la Verdad y le dará respuestas a muchas preguntas que están en su interior.

Tal vez, usted no sea ni uno ni otro, sino alguien buscando saber que hay detrás de esta sociedad secreta, porque en su familia hay alguien involucrado en ella. Usted se ha dado cuenta que hay algo que está afectando su vida y usted presiente que la Masonería pueda ser la responsable. No quedará decepcionado. En estas páginas entenderá cosas que jamás se había imaginado.

A lo largo de estas hojas vamos a hacer un estudio profundo y serio de los secretos y las profundidades de la Masonería. Para ello hemos realizado una minuciosa investigación de múltiples documentos, en aras de conseguir la máxima fidelidad y veracidad para las conclusiones que se hacen en este libro. Entre otras fuentes documentales nos hemos fundamentado en los manuales originales de los Rituales de la Orden hasta el Grado 33; en los libros editados por los Soberanos Grandes Inspectores Generales de oficiales de la Masonería Escocesa y en los del Gran Oriente de Francia; en los documentos originales de las Conferencias Masónicas mundiales; en historiadores y políticos reputados que se han visto involucrados con esta "Augusta Asociación"; en testimonios veraces de masones y ex masones que han expuesto sus vidas para que usted pueda conocer la verdad.

Más que un simple libro, es un estudio en el que descubrirá los horrores que esconde la Masonería y el grave peligro que corre el que se encuentra dentro de sus filas. Desgraciadamente no sólo los que están en la Orden sufren de fuertes padecimientos y desgracias de todo tipo sino también todos sus descendientes. Yo misma fui víctima de maldiciones fuertísimas que no sabía cómo ponerles fin, hasta que descubrí que su origen provenía de la Masonería. Mi abuelo había sido parte de esta organización y el mal no terminó cuando él murió. Había un legado generacional que había que tratar.

Como yo, muchísimas personas, más de las que imaginamos, están padeciendo las consecuencias de que alguien en su familia haya estado en esta sociedad secreta.

Este es un libro que lo llenará de la luz necesaria para abrir los ojos, para entender y para encontrar las respuestas que lo llevarán a una total libertad.

Mucho tiempo, valor y riesgo han sido invertidos para darle a conocer las verdades que aquí se relatan con toda crudeza. A usted le corresponde analizarlas y sopesarlas en la plena facultad de su razonamiento y en el temor de Dios, que guarda a todo hombre en los principios de la Sabiduría.

LA MASONERÍA

La Masonería o Francmasonería es la sociedad secreta más extendida del mundo y una de las que cuenta con mayor tradición histórica. La Real Academia de la Lengua Española la define como: "Asociación secreta de personas que profesan principios de fraternidad mutua, usan emblemas y signos especiales, y se agrupan en entidades llamadas logias".

En sus comienzos, la Masonería fue una sociedad que agrupaba a los constructores de catedrales del Medioevo. Estos artesanos poseían ciertos privilegios y eran llamados Francmaçons (literalmente "Albañiles Libres"), denominación que dio origen a los términos sinónimos Masonería o Francmasonería. Con el declive de la edificación de catedrales en Europa, los grupos o "Logias" -en la terminología masónica -fueron admitiendo en su seno a otras personas no vinculadas con esta actividad.

Esta sociedad, eminentemente gremial, fue transformada y empezó a tener un contenido ideológico y simbólico. En los siglos XVII y XVIII adoptó algunos ritos religiosos, principalmente los de las antiguas órdenes de caballería. Tomaron como fuente de inspiración a la figura de Hiram Abiff, quien fue uno de los más grandes orfebres y artesanos encargado de la edificación del templo de Salomón. Más adelante descubriremos la identidad oculta de este personaje que, para el común de los masones, es tan sólo el arquitecto de aquel edificio levantado para Dios por el rey Hebreo, pero que para la élite de la organización es algo mucho más profundo.

La sociedad masónica era bien aceptada por civiles y religiosos en algunos países pero encontró gran oposición en la Iglesia Católica Romana. Esta ha declarado constantemente, desde 1738, que cualquiera de sus fieles que se adhiriera a esta fraternidad es culpable de grave pecado y que, por tanto, debe ser excomulgado. La razón principal de esta actitud es que el Catolicismo considera a la Masonería como "El Partido del Diablo" por las temibles ceremonias satánicas contenidas en ella. Pese a este estatuto, muchos de los miembros de sus altas jerarquías se adhirieron clandestinamente en sus filas.

Las enseñanzas de la Masonería distan de ser congruentes con el cristianismo original que encontramos en la Biblia. Son más bien, muchas de ellas las que se aglutinan en la hoy conocida como "La Nueva Era". En la Masonería convergen todas las religiones así como el humanismo, el deísmo y el naturalismo. Por esta causa no es de extrañarse que en 1990 una de las publicaciones masónicas oficiales en Norteamérica fuera titulada "LA NUEVA ERA". El famoso historiador español Ricardo de la Cierva[4], menciona en uno de sus libros a un Jesuita profesor de la Universidad de Zaragoza, el padre José Antonio Ferrer, a quien la Universidad le había encargado

---

4 De la Cierva, Ricardo: *"Secretos de la Historia"*, Editor Fenix, 2003, pp. 264.

que hiciera un estudio profundo sobre la Masonería. En este libro, De la Cierva se refiere a un discurso pronunciado por el sacerdote Ferrer en donde asegura que se involucraron sacerdotes, religiosos y obispos católicos en la Masonería, aduciendo que había más de dos mil clérigos masones en el siglo XVIII, y que se habían fundado logias aún dentro de los conventos. También es sabido que varios de los representantes de las iglesias protestantes tradicionales alrededor del mundo se encuentran en sus filas, ocupando altos grados de en la organización.

Atribuyo este poder de seducción con el que la Masonería ha podido enredar tanto al Clero como a Evangélicos, a la forma fraudulenta con la que se manejan sus doctrinas en los grados iniciáticos (los tres primeros). Estos nuevos adeptos ignoran totalmente las profundidades de la Orden y su más oscuro secreto. Para ellos es una fraternidad centrada en el bienestar de la familia, una organización con carácter de beneficencia y una agrupación con intereses políticos y financieros, aunque no dejan de reconocer el extraño y a veces atemorizador carácter de sus ritos. Terribles verdades están celosamente guardadas, y pretendo sacarlas a la luz para que se puedan discernir con claridad las genuinas intenciones de esta asociación secreta.

Desde sus comienzos el poder de la Masonería fue extraordinario y rápidamente se extendió entre la aristocracia, los medios políticos y las clases altas. Desde 1737 a 1907 cerca de dieciséis príncipes ingleses han pertenecido a esta Orden. En la lista de los últimos Grandes Maestros encontramos a Jorge IV, Eduardo VII, Eduardo VIII y Jorge V de Inglaterra; a Oscar II y Gustavo V de Suecia, y a Federico VIII y Christian X de Dinamarca. En nuestros días encontramos a Francois Mitterand, ex presidente de Francia, que fue Gran Soberano Inspector General del Gran Oriente de Francia en 1962 y 1969. Diferentes estudios señalan que al menos diecisiete presidentes de los Estados Unidos han sido masones. Encontramos entre otros, a Henry Ford y James

Walt Disney es el fundador de la compañía "The Walt Disney Company", cuya facturación anual bordea los 30,000 millones de dólares.

Benito Juárez fue presidente de México en varias oportunidades (1858-1872). Masón Grado 33.

Henry Kissinger, Grado 33. Fue Secretario de Estado de Estados Unidos y trabajó en los gobiernos de Richard Nixon y Gerald Ford, entre otros importantes cargos en la política americana.

Carter, así como a personajes de influencia mundial como David Rockefeller, Walt Disney y Henry Kissinger. Esta revista incluye en la lista a Carlos Andrés Pérez, Ex-Presidente de Venezuela y a Omar Torrijos, el famoso y ya fallecido ex-dictador de Panamá.

También son conocidos en este medio, como grandes precursores de la Masonería, nada más y nada menos que George Washington y Benjamín Franklin; y en México, desde Benito Juárez, la gran mayoría de los presidentes están vinculados con esta "Asociación Secreta". La lista es larga y dentro de ella se encuentran papas, astronautas y personajes públicos.

La Masonería, aunque es en sí una "Gran Fraternidad" en el mundo entero, se ha dividido en diferentes ramas. Las dos más importantes son el El Antiguo y Aceptado Rito Escocés y el Rito Yorkino. (Ver todas las instituciones y ramificaciones en el apéndice 1). Debe entenderse que al "Rito Escocés" no se llama así porque provenga de Escocia; sino que fue el nombre que se le dio a la adaptación americana del "Rito de la Perfección" de la Masonería francesa.

En Francia, dos sociedades distintas se basan en "El Rito Escocés" bajo las razones sociales de: SUPREMO CONSEJO, o "Potencia Suprema del Orden Masónico" y EL GRAN ORIENTE DE FRANCIA o "Gran Colegio de todos los Ritos Francmasónicos". Cada una de estas sociedades expide sus respectivas identificaciones y grados. Un Rito está constituido por una sucesión de grados conferidos por uno o varios cuerpos constituidos, pero bajo la autoridad de un gobierno supremo único.

Adam Weishaupt[5], tomó la determinación de infiltrar la rama continental de la Francmasonería y para 1782 lo consiguió en la Convención Internacional Masónica de Wilhelmsbad, Alemania. Weishaupt, que fue adoctrinado en

---

5 Weishaupt, Adam: Fundador de la Orden de *"Los Illuminati"* (Asociación secreta que pretende reunir a los hombres más poderosos e iluminados del mundo).

George Washington. Militar que fue el primer Presidente de los Estados Unidos (1789-1797) y Comandante en jefe del Ejército Continental de las fuerzas revolucionarias en la Guerra de la Independencia de los Estados Unidos (1775-1783).

el ocultismo egipcio, formuló un plan de cinco años a través del cual se propuso reunir todos los sistemas ocultistas en una gran y poderosa organización secreta. Entre las metas de Weishaupt estaban:

1.- La abolición de las monarquías y de los gobiernos establecidos.
2.- La abolición de la propiedad privada y de la herencia.
3.- La abolición del patriotismo y nacionalismo.
4.- La abolición de la vida familiar y de la institución matrimonial y el establecimiento de comunas para la educación infantil.
5.- La abolición de toda religión.

Todo esto que acabamos de ver, y no sin un cierto estremecimiento, quedará demostrado más adelante en el estudio de los diferentes grados y en especial del Grado 33.

El Profesor John Robinson[6], Historiador Británico altamente respetado y Masón por largo tiempo, escribió:

"He descubierto que la caparazón secreta de las logias masónicas ha sido utilizada en cada país para ventilar y hacer propaganda a sentimientos políticos y religiosos, que no hubieran podido ser expuestos en el exterior sin exponer a graves peligros a su autor. He observado como estas doctrinas se han ido difundiendo y mezclando con los diferentes sistemas de la Francmasonería, hasta que finalmente se ha formado una asociación con el expreso propósito de desarraigar todos los establecimientos religiosos y tergiversar todos los gobiernos existentes en Europa".

Investigando un escrito de un antiguo masón, el Conde de Virieu, leí cómo expresaba su consternación al referirse a tal infiltración, con estas estremecedoras palabras:

"Trágicos secretos. No se los puedo confesar. Sólo les

---
6 Robinson, John: *"Proofs of Conspiracy"*, 4 Ed. New York,1798, pp.134.

puedo decir que todo esto es mucho más serio de lo que piensan. La conspiración que se está tejiendo aquí está tan bien formulada que le será imposible tanto a la Monarquía como a la Iglesia escapar de ella".

Weishaupt animaba a la gente a iniciarse en la fraternidad prometiéndoles poder, influencia y éxito en el mundo. Al mismo tiempo se aseguraba de que los miembros se sintieran totalmente comprometidos y atados a ella, por medio de la obtención de informes personales de carácter delicado y aún involucrándolos en crímenes bajo la promesa de que nadie podría tocarlos mientras pertenecieran a La Orden. Weishaupt escribió:

"Los discípulos están convencidos que la Orden gobernará al mundo. Por eso cada miembro se convierte en un gobernante. Todos pensamos de nosotros mismos que estamos capacitados para gobernar. Esto es un pensamiento altamente motivador tanto para hombres buenos como malvados. Por tanto la Orden se expandirá".

"¿Se dan suficientemente cuenta de lo que significa gobernar, gobernar en una sociedad secreta? No solamente sobre los más pequeños y los mayores de la población, sino sobre los mejores hombres, hombres de todos los rangos sociales, de todas las naciones y de todas las religiones. Gobernar sin ningún tipo de fuerza externa; unidos de forma indisoluble; respirar un mismo espíritu y un mismo sentir en ellos, hombres distribuidos sobre toda la faz de la tierra".

Pat Robertson[7], ex-candidato a la presidencia de los Estados Unidos escribió al respecto:

"En los altos grados de la Orden de Los Illuminati, los miembros eran ateos y satanistas. Al público en general, se presentaban profesando el deseo de hacer de la humanidad "una Familia buena y feliz". Hicieron todos los esfuerzos para

---

7 Robertson, Pat: *"The New World Order"* W. Publishing Group. pp. 336.

ocultar sus verdaderos propósitos usando el nombre de la Masonería. Utilizando las más hábiles artimañas, los Iluministas atraían a su agrupación la gente más rica e influyente de Europa y posiblemente también estaban incluidos los más poderosos banqueros europeos".

Albert Pike

También es importante analizar los escritos de Albert Pike[8], cuyas enseñanzas y dogma del antiguo y aceptado "Rito Escocés" de la Masonería fueron publicados primero en 1871 y que volvieron a ver la luz al ser publicadas de nuevo en 1966.

Se suponía que eran para ser usadas exclusivamente por el Concilio de los que habían alcanzado el Grado 33. Pike es probablemente el más prominente expositor del credo y de las doctrinas masónicas y es el Soberano Gran Comendador del Supremo Consejo "Madre" de todos los Supremos Consejos del Mundo. Es conocido entre sus seguidores como "El Papa de la Masonería".

No olvidemos que Weishaupt aprendió los rituales de las ceremonias ocultistas de los egipcios y que, por lo tanto, la simbología juega un importante papel en este Rito.

Sin hacer ningún comentario, quiero citar algunos extractos de la edición de 1966 del "Rito Escocés Antiguo y Aceptado o Rito de la Perfección" escrito por el líder de la

8 Pike Albert:"*Morals and Dogma of the Ancient and Accepted Scottish Rite Freemasonry*". City: Kessinger Publishing, LLC.

Masonería en Norteamérica, Albert Pike.

"Cada templo Masón es un templo religioso"[9].
"El Primer Legislador Masón fue….. Buda".[10]

"La Masonería, en la cual se levantan los altares de los Cristianos, de los Hebreos, de los Musulmanes, de los Brahmanes, de los seguidores de Confucio de Krishna, y de Zoroastro puede reunir, hermanar y juntar sus oraciones al único Dios que es sobre todos los Baales".[11]

"La Masonería… oculta sus misterios, excepto a sus adeptos y sabios y usa símbolos falsos para guiar erróneamente a los que merecen ser guiados en el equívoco".[12]

"Todo lo científico y grandioso de los sueños religiosos de los "Illuminati"…. ha sido tomado de la Cábala; todas las asociaciones Masónicas le deben a ésta, sus secretos y sus símbolos".[13] (La Cábala o Kababala es la filosofía oculta del judaísmo).

Hay muchos que entran a la Masonería buscando encontrar a Dios en sus enigmáticas tradiciones con la idea de que es tan inalcanzable que sólo a unos cuantos les es posible conseguirlo. Otros entran buscando tener relaciones con gente importante. Hacen caso omiso a lo que no entienden de sus ritos con el fin de ir obteniendo poder a través de influyentes contactos. Estos ven la Logia como una especie de exclusivo club social. Otros, ciegos por la avaricia y el poder, se inician para recibir la extraordinaria ayuda masónica y conseguir así sus más altas satisfacciones de éxito. Hay quien también se alista por el profundo deseo de alcanzar el máximo desarrollo de su ego y de los poderes de la mente, para controlar a sus semejantes. Lo que por desgracia todos tienen en común es que entran en ella ignorando los verdaderos fines de esta

9 Ibíd., p. 213.
10 Ibíd., p. 227.
11 Ibíd., p. 226.
12 Ibíd., p.104, 105.
13 Ibíd., p. 744.

asociación y totalmente cegados a las potencias espirituales que la gobiernan. Lo queramos admitir o no, hay fuerzas espirituales que, aunque no las tomemos en cuenta o neguemos su existencia, no por eso dejan de tener influencia en nuestras vidas y afectarnos.

En muchos casos éstas llevan a sus incautas víctimas hasta profundas depresiones del alma, a la locura y aún a la misma muerte.

Mi intención es desenmascarar los secretos y los abismos de la Masonería a fin de dar verdadera luz a aquéllos que de corazón sincero buscan a Dios o creen tener una relación con Él. Quiero ofrecer una salida a todos aquellos que quieran escapar de los lazos de la Masonería y del ocultismo, y de su inevitable y terrible destino eterno.

Como decía el sabio Rey Salomón:

"Hay caminos que al hombre le parecen derechos pero su fin es camino de muerte".   *Proverbios 16: 25*

La Biblia, es el Libro Sagrado de la Masonería. En la mayoría de los "Ritos" aparece depositado sobre "El Ara" (el altar de los masones) y permanece continuamente abierto como símbolo de la sabiduría divina.

Por esta razón me referiré a él como punto de partida para llegar a la verdad de quién es verdaderamente Dios y cuál es Su personalidad y Su pensamiento y, en base a sus enseñanzas, poder analizar el engaño de la Masonería.

Aunque voy a usar los nombres de Jehová o Yahvé y el de Jesucristo, así como los principios establecidos por ellos, no por esto me estaré refiriendo a alguna religión en particular. Simplemente estaré destacando los fundamentos de la escritura contenidos en ésta.

El Ocultismo, en cualquiera de sus formas, trae consecuencias graves a los que lo practican. El mundo espiritual es un terreno peligroso sino se entra por la puerta correcta. No todo lo que brilla es oro, y no toda luz proviene de Dios.

"... Antes que vaya para no volver, a la tierra de las tinieblas y la sombra de muerte; Tierra de oscuridad y el desorden, lóbrega como sombra de muerte, donde la luz es como densas tinieblas".   *Job 10:21, 22*

" Dad gloria a Jehová vuestro Dios, antes que haga venir tinieblas, antes que vuestros pies tropiecen en montes de oscuridad y que esperando vosotros la luz, El os la vuelva en sombra de muerte y tinieblas".   *Jeremías 13:16*

En este libro veremos cómo la Masonería trae terribles maldiciones sobre una persona y sobre su descendencia.

Aún gente que ha salido de ella, sigue atada a estos continuos infortunios. Lo importante es que se puede salir y ser libre de sus terribles ataduras.

EL PRINCIPIO DE LA DEIDAD

1.- LA NECESIDAD EPISTEMOLÓGICA

La epistemología es la doctrina de los fundamentos y métodos del conocimiento científico. Esto es, cómo saber que sabemos.

Desde el origen del ser humano, su búsqueda ha sido encontrar las respuestas a su propia existencia. ¿Quiénes somos? ¿De dónde venimos? ¿A dónde vamos? ¿Cuál es la razón de nuestra existencia? ¿Qué hay después de la muerte? Los filósofos de todas las épocas han tratado de encontrar una solución y han hallado cientos de respuestas para estas interrogantes.

Dejo por sentado la absoluta certeza de la existencia de un Dios supremo sobre esta maravillosa y sorprendente creación, ya que no se puede ser Masón sino se cree en algún dios. No voy a tocar la teoría del ateísmo pues no es este el motivo del presente libro. Desde mi punto de vista, es una teoría que se cae por sí sola ya que considero imposible que un universo organizado y una vida de tan alto nivel de complejidad provenga de la casualidad de unos átomos que se juntaron al azar.

Así que vamos a tratar de llegar a una conclusión en las únicas dos posibilidades razonables en este caso:

A.- EL DEÍSMO.

Una filosofía según la cual todo proviene de un Dios impersonal, que no es otra cosa que una poderosa energía cósmica, manifestada en los planos visibles de la materia e invisibles del espíritu. Para los deístas, "el todo", está compuesto por un plano arquitectónico magistral, que se diversifica en una multiplicidad de planos paralelos. Un macrocosmos y un microcosmos conectados por un fluir de energía pura que les hace posible existir. Un universo donde nada se pierde y todo se transforma; donde todo organismo vivo va evolucionando hasta llegar al punto de la perfección absoluta del espíritu y de la materia. Esta es la concepción del universo que se tiene en el siglo XXI en gran parte de la cultura occidental, la cual proviene -paradódijamente- de las culturas de oriente.

B.- TODO PROVIENE DE UN DIOS PERSONAL

Dios concibió, amó y dio forma a su creación. Este es el concepto Judío–Cristiano del origen y de la finalidad de todas las cosas.

Si analizamos la primera teoría nos encontramos con un grave problema, ya que si partimos del principio universal impersonal, producto simplemente de una energía abstracta, es altamente improbable que de allí provengan criaturas con personalidad. No hay explicación posible para ésta. Ante esta postura el hombre no podrá contestarse jamás: ¿Quién soy? ¿De dónde vengo? El ser humano tiene características muy especiales que lo hacen único y diferente sobre la tierra: su personalidad. El hombre piensa y comunica sus razonamientos a través de la palabra hablada y escrita. El ser humano es capaz de amar y de odiar, de sufrir y de gozarse; es capaz de sentir culpa o remordimiento, tiene innata una conciencia moral, y es innegablemente creador. Todos estos atributos son imposibles de explicar a través de un universo impersonal o de una fórmula alquímica de transmutación de elementos.

La segunda teoría es de mucho más peso, pues si yo me veo a mí misma como un ser que piensa, ama, crea, se ríe, se duele, que tiene una conciencia moral, etc., me es casi natural creer que mi creador tiene por fuerza que poseer por lo menos los atributos que yo tengo. Y si entre ellos está mi capacidad para relacionarme con mis semejantes, es fácil llegar a la deducción de que ha sido Dios mismo el creador de las relaciones. Por ende, existe un continuo fluir de relaciones entre el Creador y sus criaturas. Por lo tanto, es el concepto Judío-Cristiano el que ofrece las respuestas de mayor consistencia al dilema existencial.

Es importante reconocer que necesitamos de una buena dosis de fe para creer, sea cual sea nuestra decisión sobre cuáles van a ser los fundamentos sobre los que vamos a basar nuestra vida. Para creer en cualquier forma de dios es indispensable tener fe.

Para creer en cualquier teoría sobre la formación del universo requiero de fe. Mientras me documentaba para llegar a las conclusiones en las que baso este libro, leí las más increíbles teorías sobre al origen de nuestro universo y del hombre, escritas por científicos ateos, pensadores, dioses, avatares, iluminados, etc. Al final, resultaba que todas las teorías que planteadas requerían de fe. Ninguna podría ser comprobable, puesto que ni siquiera la teoría "científica" de la evolución puede ser verificable, como lo confesara el mismo Darwin. Al menos en mi caso, necesito de más fe para creer y hasta imaginarme que un reptil se dedicó una tarde a mirar al cielo y se le ocurrió volar, hasta que un día, así como así, sin explicación alguna, empezaron a cambiar sus células y le salieron alas juntamente con todas las nociones de la aeronáutica. Si esto fuera cierto, ¿cómo es posible que el hombre nunca lo haya conseguido, siendo un ser infinitamente más inteligente que un reptil? Es mucho más fácil creer en un Dios todopoderoso que dijo "sean las aves de los cielos" y fueron así hechas. O, como dice el libro de los Hebreos en la Biblia:

"Por la fe entendemos haber sido constituido el universo por la Palabra de Dios, de modo que lo que se ve fue hecho de lo que no se veía".   *Hebreos 11:3*

En una magnífica explicación sobre lo que es la fe, el famoso teólogo suizo Francis Schaeffer[14] dijo: "Supongamos que dos escaladores están perdidos en una densa neblina en una escarpada cumbre de Los Alpes. Están atrapados en el final de una estrecha cornisa y, desesperados por encontrar una solución a su problema, uno dice: Yo creo por fe que debajo de nosotros, a medio metro de altura, se encuentra una saliente en la montaña que conduce a un camino". Y, sin pensarlo más, se lanza al vacio que se encuentra frente a él. El otro decide esperar hasta que, de pronto, escucha el grito melodioso de dos montañeses provenientes de esa región. Reconociendo que la voz que escucha es de alguien que conoce a la perfección el terreno, le pregunta: - ¡Oiga, estoy perdido!, ¿Me escucha?

-Sí, le contesta el montañés- me encuentro muy cerca de usted. Camine hacia la derecha unos diez metros y va a llegar a

---

14 Schaeffer, Frank: *Crazy for God: How I Grew Up as One of the Elect, Helped Found the Religious Right, and Lived to Take All (or Almost All) of It Back*, Da Capo Press, 2007.

una roca escarpada donde empieza un camino que lo va a traer hasta donde yo estoy. El hombre, aunque no ve absolutamente nada, pone su fe en la voz que reconoció como verdadera, camina conforme a las instrucciones del montañés y salva su vida".

En ambos casos de esta pequeña historia se requirió de fe para tomar una decisión. Sin embargo, en el segundo, no se trataba de una fe ciega sino basada en la seguridad que provenía de la voz que lo dirigía. De esta misma manera necesitamos de fe para creer en la reencarnación, en la transmutación de los elementos, en la existencia de un Nirvana (estado espiritual paradisiaco de los yoguis), en la evolución de Darwin, en la creación alquímica de Hermes Trimesgisto o en el Génesis de la Biblia y en el Dios personal que creó todo lo que existe.

Lo importante ahora no es la historia filosófica o religiosa que impera en una cultura o en una fraternidad como la Masonería, sino saber a ciencia cierta quién es la voz que escuchamos tras esa Doctrina.

2.- EL ECUMENISMO

La base del pensamiento ecuménico se concreta en la existencia de un solo Dios "Creador del universo" y es el hombre, a través de las diferentes culturas y religiones, quien le ha dado nombres diferentes. Esto significa para los ecuménicos que tanto Alá como Jehová, Brahma, Dalai-Lama, etc., son el mismo Dios. Para ellos todos los caminos llegan a Dios, y creer y buscar esto, es la forma de conseguir que finalmente llegue la tan deseada paz y unidad en el mundo. Esta filosofía que tiene indudables encantos, elimina al Dios de la Biblia, al equipararlo en un nivel de igualdad con todos los demás "dioses". Tengamos presente lo que Él dice de Sí mismo:

"...No hay Dios sino Yo. No hay fuerte; no conozco ninguno".

Isaías 44:8

A diferencia de las descripciones de otros dioses, Jehová o Yahvé, como se nombra a Sí mismo, es un Dios único en tres personas. El Génesis comienza diciendo:

"En el principio creó Dios los cielos y la tierra".

El verbo está en singular, sin embargo la palabra Dios es "Elohim", palabra en Hebreo que significa "Autoridades", en plural. Esto nos indica la pluralidad dentro de la unicidad de la Deidad: Dios Padre, Dios Hijo y Dios Espíritu Santo.

La narración del Génesis continúa más adelante diciendo:

"Entonces dijo Dios: hagamos al hombre a nuestra imagen, y conforme a nuestra semejanza.... Y creó Dios al hombre a su imagen, a imagen de Dios lo creo".   *Génesis 1:26*

En este pasaje también vemos cómo Dios habla de sí mismo refiriéndose a las personas de la trinidad que lo componen. Son innumerables los versículos bíblicos que demuestran que Jesús es Dios; que es la segunda persona de la Trinidad; que se encarnó y se hizo hombre. Su mismo nombre, anunciado por el arcángel Gabriel, significa:

"Dios con nosotros" (Emanuel) y Jesús: "Jehová salva".
Isaías 9:6 y Lucas 1:31

En las filosofías iniciáticas, así como en casi todas las religiones nos encontramos también con un gran número de trinidades y trilogías, éstas son muy diferentes a la Trinidad Bíblica. La trinidad fundamental de éstas se encuentra en un concepto de varios dioses que forman una familia divina formada por padre, madre e hijo. Por ejemplo, en Egipto nos encontramos con Osiris (el padre), Isis (la madre) y Horus (el hijo); entre la doctrina Brahmánica: a Nimrod, Semiramis y Tamuz. Y así en todas las demás culturas. Esto es un concepto politeísta ya que cada una de las partes de estas trilogías divinas es un dios diferente al otro. En cambio el Dios de la

Biblia es un Único Dios que se manifiesta en tres personas distintas y ninguna de ellas es madre; ni en la Biblia encontramos que Dios consienta la adoración de ninguna entidad espiritual con la figura de madre.

En el Catolicismo Romano y en la Iglesia Ortodoxa se le da a la Virgen María un lugar preeminente en sus cultos, pero no significa que sea Dios ni que forme parte de la Trinidad.

En la Masonería se maneja esta forma simbólica en que se le atribuye a Dios el número tres y que todos estos dioses también se identifican con esta cifra.   Basándose en la inofensiva cifra "tres", el iniciado acepta sin dificultad esta peligrosísima simbiosis entre divinidades. Sin embargo, lo que nos debe verdaderamente intrigar es, cómo ve Dios esta manera de pensar, según la cual podemos mezclar tranquilamente un dios con otro como si fueran el mismo.

"No es que haya otro Evangelio (Buenas Nuevas para salvación) sino que algunos os perturban y quieren pervertir el evangelio de Cristo. Mas si aún nosotros, o un ángel del cielo, os anunciare otro evangelio diferente al que os hemos anunciado, sea maldición".
Gálatas 1:8

Aquí tenemos una clara advertencia sobre el peligro de incurrir en maldición si tergiversamos el Evangelio, lo cual parece que los masones no toman en cuenta y se saltan esta dura advertencia con toda la tranquilidad del mundo. De hecho vamos a ver una serie de contradicciones, ya que por un lado parece como si se quisieran apegar a los principios de la Biblia y por otro hacen lo opuesto a lo que ésta nos enseña. En el Manual del Aprendiz del Magister Aldo Lavagnini[15] (pág. 183), se dice del primer mandamiento Masónico:

"La palabra sagrada del aprendiz tiene un significado análogo al primer mandamiento: Yo soy el Señor tu Dios: no tendrás otro dios delante de mí".

---

15 Lavagnini, Aldo: *"Manual del Aprendiz"*, 7ª Ed., Editorial. Kier, Bs. As.p.183.

Ahora bien si en el pensamiento iniciático todos los dioses son uno y el mismo, ¿dónde queda la posibilidad de tener "otro dios"? Por tanto este mandamiento, lo veamos por donde lo veamos, es imposible de obedecer. Entonces los "sabios filosóficos", para dar una explicación y darle salida a este conflicto, convierten a Dios en un "pensamiento", como lo sigue expresando Lavagnini:

"La confianza debe ponerse únicamente en la conciencia y el contacto interior, que es nuestro Padre y Señor, y ya no en los falsos dioses de las consideraciones triviales…. y de las ilusiones de los sentidos".

Cuestionémonos si este pensamiento del superhombre (el gran dios que es la conciencia del ser humano) no tiene nada que ver con el pensamiento Luciferino engendrado en la humanidad en el Jardín del Edén:

"No moriréis, sino que sabe Dios que el día que comáis de él serán abiertos vuestros ojos, y seréis como Dios, sabiendo el bien y el mal".   *Génesis 3:5*

¡Oh, que manjar tan suculento, ha sido este para el hombre en todos los tiempos! ¡Ser como Dios! Desgraciadamente no es más que "La gran mentira" donde comenzó a tejerse la telaraña de la muerte, que lentamente va cegando los ojos del espíritu para que nunca vean al único Dios. Esta fue la intención primera con que fue engendrada esta semilla del mal que ha seguido germinando y que seguirá siendo, sin lugar a dudas, el pensamiento más popular en nuestros tiempos; la tierra fértil para infiltrar los más ambiciosos planes de satanás. Lástima que como dioses no puedan resolver los problemas que se escapan de sus capacidades.

Otra de las características de Jehová, el Dios de la Biblia, es que es "Santo", esto es "Puro", apartado de todo lo sucio y abominable e inmundo. Él no se mezcla, ni es comparable a ningún otro dios, ni permite que sus hijos lo hagan. El dijo:

"No tendrás dioses ajenos delante de mí, no te harás imagen, ni ninguna semejanza de lo que esté arriba en el cielo ni abajo en la tierra.... Porque yo soy Jehová tu Dios, fuerte y celoso, que visito la maldad de los padres sobre los hijos hasta la tercera y cuarta generación de los que me aborrecen".

Éxodo 20:3 y 4

".... Para que no os mezcléis con estas naciones que han quedado con vosotros, ni hagáis mención ni juréis por el nombre de sus dioses, ni los sirváis, ni os inclinéis a ellos".

Josué 23:7

Jehová se ha revelado a través de los profetas del Antiguo Testamento, en forma personal y siempre como el único Dios. El Nuevo Testamento nos habla también de Dios en forma personal por medio de Jesucristo. El dijo: "Mis ovejas oyen mi voz y me siguen". (Juan 10:3) El también hizo esta tajante afirmación para que no cupiera ninguna duda: "Yo soy el camino la verdad y la vida, nadie viene al Padre sino por mí". (Juan 14:6). Fíjese que no dice que Él sea un camino o una verdad, o una forma de vida, sino que Él es en Sí mismo la verdad absoluta.

Esta declaración de tanto peso se debe al sacrificio que Él hizo en la cruz, por el cual llevó sobre sí el pecado de todos los hombres y por medio del cual se abre el camino que restablece la relación personal entre Dios y la humanidad. Jehová siempre dijo que sin derramamiento de sangre no habría remisión de pecados (Hebreos 9:22). Aquí vemos un principio totalmente diferente al de los dioses de las religiones orientales que se muestran como la "la gran mente universal" o como el Gran Arquitecto del Universo, "G∴A∴D∴U∴", como se le denomina en la Masonería.

Este dios, es algo abstracto, sin personalidad y sin nombre específico, al que no le importa la culpabilidad del hombre por el pecado. A éste se puede llegar por medio de ejercicios espirituales; a través de un sinnúmero de obras buenas y abstinencias ascéticas y a través de continuas reencarnaciones, como ellos lo suponen. En este tipo de pensamiento oriental el alma del hombre nunca muere sino que, al fallecer la persona, su espíritu asciende al mundo astral.

En este lugar existen diferentes niveles que el espíritu va escalando, en una continua cadena de purificación por medio de la reencarnación en otros seres humanos.

De esta manera, al pasar por las diferentes vidas, la persona se va desprendiendo cada vez más de sus pasiones y afectos terrenales, volviéndose un ser cada vez más espiritual.

En la práctica vemos que este dios o Gran Arquitecto del Universo, más que ser un dios que ama a su creación, es más bien un símbolo que contiene en sí mismo los planos macro cósmicos y microcósmicos. El hombre se va construyendo a sí mismo, en la medida en que adquiere entendimiento de estos principios. En esta filosofía no existe una comunicación real con este ser superior ya que es tan solo una energía como la fuerza eléctrica. Lo máximo que aspiran sus seguidores, es lograr unir su propia energía con esta energía cósmica.

El problema es que el hombre además de tener energía, es una "persona" y es un "espíritu" y como tal, necesita una comunicación con un Dios personal. Dios puso este sello dentro de él y si esta comunicación no es completa, el siempre va a tener un vacío espiritual que la razón no puede llenar. Es más, si el principio que acabamos de analizar fuera verdadero, estaríamos viviendo en un mundo mejor, debido a los millares de reencarnaciones que la gente ha venido pasando desde la antigüedad. La triste realidad es que nunca el mundo estuvo tan perdido y tan sin principios como lo está actualmente; nunca ha estado tan sediento de crímenes y de amor por el dinero; nunca ha estado tan lejos del altruismo y con tal afán de exacerbar el ego, como lo está hoy.

Volvamos al pensamiento ecuménico. Si efectivamente se

pudiera concentrar en un solo Dios todo el pensamiento religioso mundial, mi lógica me diría automáticamente que este Dios tiene que tener por lo menos las mismas características en todas las religiones, aunque no todos tuvieran la revelación del nombre. Pero es absurdo que el verdadero y único Dios, que es la verdad absoluta, se revele al ser humano en formas tan contradictorias entre una religión y otra.

Por un lado tenemos a Jehová, que condena toda forma de mezclas religiosas como confirman su palabra:

"No harás alianza con ellos ni con sus dioses. En tu tierra no habitarán, no sea que te hagan pecar contra mí, sirviendo a sus dioses, porque te será tropiezo".   *Éxodo 23:32 y 33*

Por el otro, en la Masonería, tenemos un dios llamado el Gran Arquitecto del Universo que admite todas las religiones para ser invocado. Una cosa es cierta en este caso, aplicando la simple lógica, y es que, ni Jehová, ni Jesucristo, ni el Espíritu Santo que le componen, tienen algo que ver con el "multidios" o Gran Arquitecto del Universo.

Esto nos lleva a la conclusión de que sólo un Dios puede ser el verdadero y los demás son dioses falsos que pretenden ocupar el lugar del auténtico. Ahora bien, si el pensamiento ecuménico y Masónico es correcto y todos los caminos llegan a Dios, entonces no hay libro más absurdo y falso que la Biblia que reprueba categóricamente la mezcla de las religiones y que no acepta ningún otro camino a Dios fuera de Cristo.

El apóstol Pablo escribió:

"No desecho la gracia de Dios; pues si por la ley (las obras) fuese la justicia, entonces por demás murió Cristo".   *Gálatas 2:21*

La pregunta es: ¿Por qué o con qué escondida intención, se le considera el libro sagrado de la Masonería? Y si es tan falso que no se puede seguir lo que dice porque es pura ilusión fanática, entonces ¿por qué hacen todos los juramentos basandose en la biblia?

Si analizamos con sentido apologético la divinidad y la veracidad del Dios de la Biblia y a Jesucristo su Hijo concluiríamos lo siguiente: O Jesucristo era el hombre más loco, o más tonto, o más endemoniado que haya existido, o verdaderamente era el Hijo de Dios. Si por medio de Buda, que pasó sus años de vida sobre esta tierra siglos antes de Cristo, pudiéramos llegar a Dios. ¿Cuál sería la necesidad de que viniera un Mesías y que éste padeciera en la forma tan inhumana como sufrió Jesucristo para la salvación de la humanidad? Hubiera sido mucho más sencillo que Dios le hubiera dicho a los profetas que siguieran las enseñanzas de Buda y con esto todos quedaban satisfechos; o, como se hace en la Meditación Trascendental, que nos pusiéramos a repetir "mantras" para entrar en contacto con la mente universal (palabras de poder que repitiéndolas en forma de salmodia, comunican el espíritu del hombre con las energías cósmicas).

Dios, sin embargo, desde que empezó a hablar a los hombres, estableció que Él enviaría un Mesías que redimiría al mundo de pecado. El Antiguo Testamento habla con todo detalle de cómo sería este Mesías, el único medio para poder alcanzar la redención y la salvación.

C.S. Lewis[16], que fuera profesor de Cambridge, escribió: "Estoy dispuesto a aceptar a Jesús como un gran maestro moral, pero no acepto sus aseveraciones de ser Dios". Frase que puede parecer normal pero, si se analiza, carece de la más elemental lógica. Porque un hombre que fuese simplemente un ser humano y dijera las cosas que dijo Jesús, no podría ser, un gran maestro de moral, como asevera Lewis. "Tal vez un lunático o, quizá un demonio infernal, pero

---

16 Leadbeater, C.W: *La Vida Oculta en la Masonería*, Berbera Editores, 2005, pp. 288.

maestro moralizante en ningún caso". Le corresponde a usted hacer la elección si Cristo fue y es el Hijo de Dios o si, por el contrario, se trata de un demente o de algo peor. Usted puede encerrarle por loco, y darle muerte como si fuera un demonio, o puede postrarse a sus pies y llamarle Señor y Dios. Pero no nos presentemos con la enorme y arrogante necedad de condescender en otorgarle la categoría de un gran maestro humano.

Él no nos ha dejado abierta esa posibilidad, ni siquiera lo intentó.

F.J.A Hort[17] escribió: "Sus palabras eran de tal modo partes y pronunciamientos de sí mismo, que no tenían significado como declaraciones abstractas de verdad proferida por él en calidad de oráculo divino o profeta. Quítesele a él como asunto primario (aún cuando no el último) de cada declaración, y todo se desmorona."

Kenneth Scott Latourette[18], el gran historiador del Cristianismo de la Universidad de Yale, escribió: "No son sus enseñanzas las que hacen que Jesús sea tan notable, aún cuando serían suficientes para concederle distinción. Es una combinación de las enseñanzas con el hombre mismo. No puede separársele. Debe ser obvio para cualquier lector meditativo de los registros evangélicos que Jesús consideraba que él y su mensaje eran inseparables. El era un gran Maestro, pero era más que eso. Sus enseñanzas respecto del Reino de Dios, de la conducta humana y de Dios eran importantes, pero no podían divorciarse de Él sin que, desde su punto de vista quedaran viciadas".

---

17 Hort, Fenton John: Anthony in Venn, J. & J. A., Alumni Cantabrigienses, Cambridge University Press, 10 vols, 1922-1958.

18 Kenneth, Scott: *"Christianity in a revolutionary age: a history of Christianity in the nineteenth and twentieth centuries"*, Volume 3, Eyre & Spottiswoode, 1961, pp. 527.

EL PRINCIPIO DE LA DEIDAD

Jesús asevera ser Dios
Dos Alternativas

Sus aseveraciones eran FALSAS
Dos Alternativas

Sus aseveraciones eran CIERTAS

El **sabía** que sus aseveraciones eran FALSAS

El **no sabía** que sus aseveraciones eran FALSAS

El es Señor
Dos Alternativas

Usted puede **Rechazarle**

Usted puede **Aceptarle**

Representó una COMEDIA ENGAÑOSA

Estaba SINCERAMENTE ENGAÑADO

Fue un Mentiroso

Fue un Lunático

Fue un Hipócrita

Fue un Demonio

Fue un necio pues **murió** por ello

Josh Mcdowell[19] dice al respecto: "Si cuando Jesús hizo sus aseveraciones sabía que no era Dios, entonces estaba mintiendo. Pero, si era un mentiroso, era también un hipócrita, pues a los demás les decía que fuesen honestos a cualquier costo, mientras que él mismo enseñaba y vivía una mentira colosal.

Y más que eso, era un demonio, pues les decía a otros que confiaran en él para su destino eterno. Si no podía respaldar sus aseveraciones, y lo sabía, entonces era extremadamente malo. Finalmente, también sería un necio, pues fueron sus aseveraciones de que era Dios, las que lo condujeron a la crucifixión".

"Mas él callaba, y nada respondía. El sumo sacerdote le volvió a preguntar, y le dijo: ¿Eres tú el Cristo, el Hijo de Dios? Y Jesús le dijo: Yo Soy, y veréis al Hijo del hombre sentado a la diestra del poder de Dios y viniendo en las nubes del cielo".

"Entonces el sumo sacerdote, rasgando su vestidura, dijo: ¿Qué más necesidad tenemos de testigos? Habéis oído la blasfemia; ¿Qué os parece?, y todos ellos le condenaron, declarándolo ser digno de muerte".
                                                          San Marcos 14:61-64

Josh Mcdowel[20] añade: "Jesús afirmó ser Dios. No dejó ninguna otra opción. Su afirmación sobre que fuera Dios debe ser verdadera o falsa, y es algo a lo que debiera dársele seria consideración". Y concreta su pensamiento apologético con el cuadro que exponemos a continuación.

La decisión es individual. Cada quien es libre de escoger lo que piensa a este respecto. Pero el Evangelio no fue escrito para buscar en sus páginas verdades esotéricas separadas de Jesús. El Apóstol Juan dijo:

---

19 Mcdowell, Josh: *"Nueva Evidencia que demanda un Veredicto"* Ed. Mundo Hispano, Estados Unidos, 2004, pp.823.

20 Ibíd.

"Estas cosas os he escrito para que creáis que Jesús es el Cristo, el hijo de Dios, y para que creyendo tengáis vida en su nombre".

1 Juan 5:13

Otro punto a considerar es la forma que Dios estableció para poder llegar a su presencia. La Escritura dice: "El Sumo Sacerdote entraba al lugar Santísimo o lugar de la presencia de Dios y esto NO SIN SANGRE, la cual ofrece, por sí mismo y por los pecados de ignorancia del pueblo". Ahora bien, si Dios no cambia, y esta sangre era el símbolo del sacrifico expiatorio de Cristo ¿por qué no se mencionan en la Masonería, ni a Jesús como Mesías, ni a la sangre del pacto, ni el altar de los sacrificios, ni el velo del templo? O será, como lo demostraré más adelante, que el supuesto Templo de Salomón, tan mencionado y estudiado en la Masonería, no tiene nada que ver con el Dios Hebreo-Cristiano, ni con el auténtico Templo que Dios le mandó edificar a este Rey. Y el personaje Hiram Abiff, el supuesto arquitecto del templo y símbolo del verdadero Masón, tampoco tiene relación con el que se menciona en la Biblia.

EL PRINCIPIO DE LO VERDADERO Y LO FALSO

1.- EL PRINCIPIO DE LA PROCEDENCIA DE LA VERDAD

Identificar el origen de la verdad es esencial para poder así verificar su autenticidad. Encontrar la verdad depende de poder descubrir y definir al único poseedor de LA VERDAD y ese sólo puede ser Dios. No un dios cualquiera, sino el único y verdadero Dios quien es la Verdad misma. Ninguna verdad tendría la más mínima posibilidad de certeza si fuera un simple pensamiento perdido en el abstracto o proveniente de alguna filosofía, por más hermosa que ésta nos parezca, a no ser que conozcamos la veracidad de quién la expresa.

En el principio de la deidad vimos que Jehová, el Dios de la Biblia (considerado el libro central de la

Masonería), se presenta e identifica como Santo, Puro y Celoso, y no se mezcla con ningún otro dios. Es más, como vamos a ver ahora, Él también se auto denomina como Verdadero.

"Mas Jehová es el Dios verdadero; Él es Dios vivo y Rey eterno...".
Jeremías 10:10

Jesucristo también dice, como ya vimos:

"Yo soy El Camino, La Verdad, y La Vida".

Una de las características de la verdad, es que no hay ninguna mentira en ella. En la primera epístola del apóstol Juan dice:

"Este es el mensaje que hemos oído de Él y os anunciamos: Dios es luz y no hay ninguna tiniebla en él".   *1 Juan 1:5*

Y luego sigue diciendo:

"No os he escrito como si ignoraseis la verdad sino porque la conocéis y porque ninguna mentira procede de la verdad".   *1 Juan 2:21*

Hay quienes piensan que "la Verdad" está en la ciencia creada por el hombre. Respetamos lo que estas personas creen, pero el libro que descansa en el Ara Masónica no es un libro de ciencia sino La Biblia.

Una vez que ya hemos definido la procedencia de la verdad, nos encontramos con una pauta importante para definir lo falso. Es importante recalcar que lo falso no es lo visiblemente opuesto a la verdad, sino una copia lo más parecida a ella, pero cuya esencia es la mentira y conduce inevitablemente al error. Por ejemplo, tomemos un billete falsificado. Si el que lo fabricó hiciese una reproducción totalmente diferente al verdadero, jamás podría engañar a nadie. Si, en cambio, logra robar el papel moneda, las tintas y los moldes originales, lo único por lo que se descubriría su falsedad sería por el número de serie y por las marcas especiales sensibles a ciertos rayos con que los marca el banco emisor de billetes.

Este, precisamente, es el principio de lo falso: Usar la verdad hasta donde le sea posible para atraer a aquéllos que más o menos creen conocerla. Una vez teniendo su confianza, es fácil introducir subrepticiamente un concepto falso que desvirtúe y cambie la esencia del mensaje.

Como decía Albert Pike[21] en un extracto del Rito Escocés Antiguo y Aceptado: "La Masonería oculta sus misterios, excepto a sus adeptos y sabios y usa símbolos falsos para guiar erróneamente a los que merecen ser guiados en el equívoco".

Si ya hemos definido al Dios de la Biblia como verdadero, como puro, sin mezclas y sin mentira, la pregunta que surge es: ¿Podrá manifestarse la presencia de Jehová o de Jesucristo y aún del Espíritu Santo en un lugar donde se manipula Su palabra mezclándola en un sincretismo blasfemo con otras filosofías? Y si, en consecuencia, el Dios de la Biblia no es el que preside los trabajos en las logias, entonces: ¿Quién es aquél a quien se invoca con el nombre de Gran Arquitecto del Universo?

Lo que en algunas filosofías se define en forma nebulosa y abstracta como las fuerzas del mal, o lo opuesto al bien, o los contrarios, queda perfectamente claro en la Biblia. La Palabra de Dios no se pierde en divagaciones etéreas y confusas y lo personifica con nombre propio: satanás.

---

21 Pike, Albert: "*Morals and Dogma of the Ancient and Accepted Scottish Rite of Freemasonry*", extract edition 1966.

Ha llegado la hora de dejar atrás imaginaciones infantiles en las que se ve a satanás como un personaje caricaturesco, pintado de rojo, con cuernos y cola. También ha llegado el momento de descartar, de una vez y para siempre, la absurda idea de considerar a la personificación del mal como una fuerza maligna de la misma magnitud que Dios. Dejemos bien en claro que: uno es criatura y el otro es el Creador. El fue creado por Dios como el arcángel o el querubín de la SABIDURÍA Y DE LA HERMOSURA; pero por haberse querido hacer semejante al Altísimo, Dios le quitó de su lugar.

Las Escrituras mencionan su caída:

"Tú, querubín grande, protector, yo te puse en el santo monte de Dios, en medio de las piedras de fuego te paseabas. Perfecto eras en todos tus caminos desde el día en que fuiste creado, hasta que se halló en ti maldad. A causa de la multitud de tus contrataciones fuiste lleno de iniquidad, y pecaste: por lo que yo te eché del monte de Dios, y te arrojé de entre las piedras del fuego, oh querubín protector. Se enalteció tu corazón a causa de tu hermosura, corrompiste tu sabiduría a causa de tu esplendor; yo te arrojaré por tierra: delante de los reyes te pondré para que miren en ti.... Todos los que te conocieron de entre los pueblos se maravillarán sobre ti; espanto serás, para siempre dejarás de ser".
Ezequiel 28:14 al 19

Desde entonces, satanás siempre ha querido tomar el lugar de Dios buscando la adoración de los hombres. Quizá para usted, amado lector, esta persona llamada satanás no sea más que algo ridículo, obsoleto e inexistente. Pues permítame decirle que, de hecho, ese es su mejor disfraz: no existir o parecer inofensivo. Sin embargo, el Dios de la Biblia y su hijo Jesucristo lo mencionan como un ser real y Dios no miente, como ya hemos leído, "no hay ninguna mentira en Él". El grave peligro reside en la increíble habilidad que posee satanás para manipular la mentira y presentarla como cierta. No hay que olvidar nunca que es más astuto que cualquier hombre y va a tratar de ponerse aún el nombre del Altísimo con tal de desviar a la humanidad e impedir que se adore al único Dios verdadero, "Jehová de los ejércitos y a Jesucristo, Dios hecho hombre".

El Apóstol Pablo nos habla de este engaño:

"Porque si viene alguno predicando A OTRO JESÚS que el que os hemos predicado, o si recibís OTRO ESPÍRITU que el que habéis recibido, u OTRO EVANGELIO, que el que habéis aceptado, bien lo toleráis; porque éstos son falsos apóstoles, obreros fraudulentos, que se disfrazan como apóstoles de Cristo. Y no es maravilla, porque el mismo satanás se disfraza como "ángel de luz". Así que no es extraño que sus ministros se disfracen de ministros de justicia; cuyo fin será conforme a sus obras".   *2 Corintios 11:4, 13, 14*

Jesucristo dijo: "Él que no es conmigo, es contra mí, y el que conmigo no recoge, desparrama".   *Mateo 12:30*

Resalté las palabras: "otro Jesús, otro espíritu y otro evangelio" para que nos demos cuenta de cuan sutil puede ser esta falsificación que se atreve incluso a usar el nombre de Dios. Y esto lo constatamos cuando en las Logias, en las religiones orientales y en las filosofías de los "grandes iniciados" (como se les denomina en las ciencias ocultas), vemos la figura de Jesucristo aparecer como un Avatar, como un simple profeta, o como uno de los grandes maestros. Pero JAMÁS se le menciona como Dios hecho hombre, o como la segunda persona de la Trinidad.

¿De qué Jesús se habla en los círculos filosofales? Porque no cabe la menor duda que no se está hablando del Jesús de la Biblia.

Analicemos esto con detenimiento:

1) Se le menciona como Avatar, y este nombre lo reciben aquellas personas que son consideradas como una encarnación de Visnú (la figura del hijo de la trilogía familiar

del Hinduismo). Y, para rematar el engaño, se afirma que este "Jesús" viene a enseñar el camino para integrarse a la Gran Mente Universal. Los avatares han hecho su aparición en cada era astrológica y en diferentes personajes como son: Zoroastro, Buda, este tal Jesús, Mahoma, Saint Germain, y el Señor Maitreya en la actualidad.

2) Este Jesús aprendió su poder y su doctrina de los Lamas en Cachemira en donde dicen que vivió toda su juventud hasta los treinta años en que comenzó su vida pública. Allí se le conocía como el "Profeta Issá" y ahí fue también donde, tras sobrevivir a los latigazos, al enorme e inhumano castigo y a la crucifixión misma que padeció en Jerusalén regresó a morir en una gloriosa ancianidad.

No deja de ser curioso que todos los avatares hablen de la reencarnación; del crecimiento del ser de vida en vida hasta alcanzar el Nirvana; de que se puede llegar a Dios por medio del autoperfeccionamiento del mismo y de la unión de nuestra energía con la del universo por medio de la meditación trascendental. Ni este "Seudo-Jesús", ni ninguno de los demás avatares menciona la existencia del mal como un adversario personal, ni de la muerte como consecuencia del pecado.

A diferencia de éstos, el Jesucristo de la Biblia nos dice que Él es la resurrección y el redentor de nuestros pecados. Él hablaba lo que oía de Su Padre en los cielos. Él no predicaba una moral universal ni una filosofía de conocimiento cósmico. La Biblia dice: "El que tiene al Hijo tiene la vida, y el que no tiene al Hijo, no tiene la vida (1 Juan 5:12). En el Evangelio según San Marcos vemos cómo la gente de su tierra se admiraba de su doctrina y de sus hechos.

"...¿De dónde tiene éste estas cosas? ¿Y qué sabiduría es ésta que le es dada y estos milagros que por sus manos son hechos? ¿No es éste el carpintero, hijo de María, hermano de Jacobo y de José, de Judas y de Simón?..."   *Marcos 6:2-3*

Si Jesús realmente hubiera estado aprendiendo su doctrina de los monjes tibetanos, la gente hubiera dicho algo así como: ¿No es éste el que regresó de lejanas tierras donde fue a aprender esta sabiduría? Sin embargo lo que extrañaba a la gente era que un carpintero pudiera hablar tales cosas. Ciertamente hay un contraste abismal entre un Jesús y el otro.

Jesucristo, el verdadero hijo de Dios, fue anunciado por cerca de treinta profetas y reyes durante casi cuatro mil años antes de su venida. Nació, fue engendrado sobrenaturalmente, y murió y resucitó como prueba de que lo que habló era verdad. Todos los demás, por más iluminados que el mundo les quiera llamar, están en la tumba. Así que, cuando se menciona a Jesús o a Jesucristo en las logias masónicas, podemos estar seguros de que no se está hablando del Hijo de Dios sino del Avatar de Oriente. Y no tiene nada que ver el uno con el otro.

Veamos en la práctica como se falsifica una verdad para hacer tragar el anzuelo a los que se dejan llevar por oír las palabras "Dios" o "Jesucristo". Desgraciadamente para muchos, estos nombres son la única garantía que piden delante de sus conciencias, para dejar que penetre una doctrina en su corazón. Tomemos un claro ejemplo del Manual del Aprendiz, en el que Lavagnini[22] expresa lo siguiente:

"Es pues, de importancia esencial que escojamos muy cuidadosamente lo que pensamos y lo que decimos, pues detrás de cada palabra está aquel mismo Poder del Verbo que se encuentra en el principio de toda cosa: Todas las cosas por él fueron hechas, y sin él nada de lo que es existiría.

Afirmar el bien, negar el mal; afirmar la verdad, negar el error, afirmar la realidad, negar la ilusión: he aquí en

---

22 Lavagnini Aldo: *"El Manual del Aprendiz"*, Editorial Kier, 2005, pp. 142.

síntesis como debe usarse la Palabra. Como ejemplo damos una afirmación característica que debe leerse y repetirse individualmente, en íntimo secreto, y a semejanza de la cual muchas pueden formularse:

Existe una sola realidad y un SÓLO PODER EN EL UNIVERSO: Dios, el principio, la Realidad y el poder del Bien, Omnipresente y Omnipotente".

"En consecuencia nada hay que temer fuera del mismo temor: como **no existe ningún principio del Mal**, este no tiene realidad y poder verdaderos, es sólo una imagen ilusoria que debe reconocerse como tal para que desaparezca. Por consiguiente EL MAL NO PUEDE TENER SOBRE MÍ Y SOBRE MI VIDA PODER ALGUNO si yo mismo no le reconozco y confiero temporalmente realidad y poder: es un dios falso que se antepone al verdadero Dios, que es bien infinito, una sombra ilusoria que impide que resplandezca la verdadera Luz".

Analicemos, a la luz de la   Biblia, y de las mismas enseñanzas de Jesús, este pasaje de la enseñanza iniciática. Resalté las palabras bíblicas que se usan como punto de partida de este texto y que, de hecho, es lo único verdadero que contiene.

1.- El texto dice que hay un solo poder que es Dios. La Biblia menciona, además de Dios, la existencia del príncipe de las tinieblas llamado diablo o satanás. Jesucristo, en el Evangelio de Juan dice:

"¿Porqué no entendéis mi lenguaje? ¿Por qué no podéis escuchar mi palabra? Vosotros sois de vuestro padre el diablo, y los deseos de vuestro padre queréis hacer. El ha sido homicida desde el principio, y no ha permanecido en la verdad, porque no hay verdad en él. Cuando habla mentira de lo suyo habla: porque es mentiroso y padre de mentira. Y a mí porque digo la verdad no me creéis".

Juan 8:43-45

Aquí vemos claramente como Jesucristo, el verbo de Vida, habla sin dejar lugar a dudas, de un representante del mal.

2.- El texto dice que el mal no tiene poder sobre el iniciado por el simple hecho de no creer en él ni darle importancia. La Biblia dice:

"Y él os dio vida a vosotros, cuando estabais muertos en vuestros delitos ypecados en los cuales anduvisteis en otro tiempo, siguiendo la corriente de este mundo, conforme al príncipe de la potestad del aire (satanás)."El **espíritu que ahora opera en los hijos de desobediencia**".   *Efesios 2:2*

"Porque no tenemos **lucha** *contra carne ni sangre, sino contra principados, contra potestades, contra los gobernadores de las tinieblas de este siglo, contra huestes espirituales de maldad en las regiones celestes".*   *Efesios 6:12*

Son innumerables las citas bíblicas que hablan de satanás y de su influencia en la humanidad y su deseo irrefrenable de arrastrar a los hombres a su morada infernal.

¡Qué maravilloso disfraz decir que el mal no existe! ¡Qué mejor camuflaje para satanás que conseguir que la gente se crea que el diablo es una patraña! Con esta infame afirmación el aprendiz se deja tranquilamente llevar por las bellas palabras que mencionan a Dios, se queda sin ninguna defensa posible en contra del mal y está ya listo para que el diablo lo empiece a enredar en su sutil y traicionera emboscada.

2.- EL PRINCIPIO DE LA VERDAD CONDICIONADA

Es importante reconocer que no toda verdad es absoluta si la extraemos del contexto o de las condiciones en que fue establecida por Dios. No podemos, como dice la conocida frase, "sacar un texto fuera de contexto para usarlo como pretexto". La Biblia encierra el pensamiento completo de Dios dado a conocer a los hombres, Su personalidad, los principios de Su Justicia, de Su redención y las condiciones por las que el hombre puede reconciliarse con Él.

La Biblia no consiste en un montón de versículos apilados que, por muy verdaderos que sean, podamos acomodarlos al azar a nuestro propio criterio. No es tampoco un libro de magia al que le podamos aplicar métodos cabalísticos para extraer teorías que no pueden ser demostrables y que son, por tanto, contrarias al contexto general de la Biblia. Teorías que son tan solo una ilusión en el pensamiento del filósofo.

Para hacer más claro lo que quiero demostrar acerca de la verdad contextual, haré uso del absurdo. Por ejemplo: Veamos lo que significaría sacar de contexto y convertir en una verdad absoluta el versículo de Levítico 17:11 donde dice: "La vida de la carne está contenida en la sangre", que es la expiación por el pecado. Si esto fuera un absoluto, quiere decir que puedo hacerle una transfusión a un cadáver y necesariamente tendría que resucitar, puesto que le he dotado del ingrediente donde se encuentra la vida. Resulta obvio que tal experimento no funciona. Pues tan falso y absurdo resulta este tipo de extrapolaciones, como lo es tratar de usar las verdades que SOLO SE APLICAN A JESUCRISTO, y usarlas tranquilamente como principios filosóficos universales. Los pensadores de este mundo, quieren usar los principios de la Biblia sacando a Dios de la ecuación. Eso no funciona así.

Valga este ejemplo: En el Manual de Lavagnini[23], el iniciado piensa que por decir cosas hermosas extraídas de la Biblia éstas son verdades aplicables para su vida, sin que haya que cumplir con ninguna condición para obtenerlas. Los iniciados tienen que repetirse continuamente para sus adentros: "El espíritu Divino es en mí, la Vida Eterna, Perfección Inmortal, Infinita Paz, Infinita Sabiduría, Infinito Poder, Satisfacción de todo justo deseo, Providencia y Manantial de todo lo que

---

23 Ibíd.

necesito y se manifiesta en mi vida: Mis ojos abiertos a la luz de la realidad ven donde quiera Armonía y buena voluntad: El principio divino que se expresa en todo ser y en toda cosa".

Las Escrituras se bastan por sí mismas para darnos la luz necesaria para desenmascarar tal afirmación. En el Evangelio de San Juan, capítulo uno, pasaje muy usado en la Masonería, vamos a ver cómo Dios revela al Verbo de Vida y la Luz del Espíritu:

"En el principio era el Verbo, y el Verbo era con Dios y el Verbo era Dios. Todas las cosas por Él fueron hechas, y sin Él nada de lo que ha sido hecho, fue hecho. En Él estaba la vida y la vida era la luz de los hombres... Aquella luz verdadera que alumbra a todo hombre, venía a este mundo. En el mundo estaba, y el mundo por Él fue hecho; pero el mundo no le conoció. A los suyos vino y los suyos no le recibieron. Mas a TODOS LOS QUE LE RECIBIERON, A LOS QUE CREEN EN SU NOMBRE, les dio potestad de ser HECHOS hijos de Dios; los cuales no son engendrados de sangre ni de voluntad de carne, ni de voluntad de varón, sino de Dios. Y aquel Verbo fue hecho carne y habitó entre nosotros y vimos su gloria, gloria como la del unigénito del Padre".   *Juan 1: 1-4 y 9-14*

Aquí vemos como este Verbo de Vida, esta Luz verdadera, es Jesucristo, el Hijo de Dios venido en carne, Dios hecho hombre. No es un principio metafísico, al cual podamos quitarle el nombre de Jesús y aplicarlo a la vida espiritual y esperar que la luz venga a nosotros obedeciendo a nuestra voluntad o a nuestro capricho. Acabamos de leer que dice: "A todos los que le recibieron, y a los que creen en su nombre..." Estos son los que reciben esta específica Luz y esto hace que esta verdad esté condicionada. Por tanto el intentar usarla sin su condicionante que es Jesús, para vivificar nuestro espíritu viene a ser tan absurdo como el ejemplo de la sangre aplicada al muerto.

También vemos en este pasaje que Dios hace diferencia entre "hijos" y criaturas. No todos en el mundo son hijos de Dios. Sí, es cierto que todos hemos sido creados por Él y, por ende, somos criaturas suyas. Pero la característica de hijo sólo la tiene aquel que, como acabamos de leer, le recibe por medio de la fe en Jesucristo, al ser engendrado espiritualmente por el Espíritu de Dios.

Repito, en cada uno de nosotros está la posibilidad de aceptar o negar la deidad de Jesucristo. Pero lo que no podemos hacer es tergiversar lo que Él dijo, aplicárselo a un Jesús tibetano y seguir afirmando que es La Verdad. El que no quiera creer que Jesucristo es el Hijo de Dios está en su pleno derecho, pero por lógica, debe también poner la Biblia a un lado para buscar en otros libros su filosofía de la vida.

Tengamos, pues, cuidado de no ser engañados, haciendo pasar lo falso por verdadero y lo verdadero por obsoleto.

3.- EL PRINCIPIO DE LA VERDAD EXPERIMENTADA

Este es el método comúnmente usado en los círculos iniciáticos tal y como lo establece el filósofo Hermes Trimesgisto[24], quien dice: "En verdad, a saber que el Arte de la Alquimia ha sido dado sin mentira, (y dice esto para convencer a los que afirman que la Ciencia es mentirosa). Ciertamente, esto es experimentado, porque todo lo que se experimenta es cierto. Es verdadero".

Este principio, que aparentemente parece lógico en relación a las ciencias de este mundo, como la tecnología, la medicina, la ciencia nuclear o cualquiera de las ciencias exactas, al llegar al mundo espiritual se vuelve altamente peligroso. Tengamos en cuenta que las dos únicas fuerzas espirituales, Dios y satanás con sus respectivas organizaciones celestiales, se presentan al hombre en forma muy similar. Por tanto, el

---

24 Holmyard, E.J. *"The Emerald Table"* Nature, No. 2814, Vol. 112, October 6 1923, pp. 526.

mero hecho de experimentar algo espiritualmente hermoso o satisfactorio, no necesariamente tiene que provenir de Dios. Por ejemplo, el Control Mental que encontramos en los grados llamados "filosóficos" de la Masonería, empieza por hacer creer a los estudiantes que logrando entrar en el nivel mental conocido como "Alfa", pueden desarrollar un poder increíble a través de la mente. El curso que, en sus comienzos, tiene bases casi totalmente científicas resulta que no se lleva a cabo a menos que invoquemos espíritus guías que nos ayuden a manejar este poder. Al respecto, el creador del método de control mental, José Silva[25] dice:

"Los aprendices pueden escoger sus propios consejeros. Podría ser cualquiera que esté vivo o muerto (Refiriéndose a una invocación espiritista); podría ser un pariente, un amigo, un personaje de la historia o de la religión... Usted hará esto yendo a su lugar favorito de relajación e invitando a las personas que desee que sean sus consejeros a reunirse allí con usted. De ahí en adelante, en cualquier momento que desee recibir ayuda de sus consejeros, y en el lugar de relajación usado en sus ejercicios, (lugar creado en la mente) sus consejeros le estarán esperando".

Como vemos, esta práctica no trata solamente de desarrollar su mente, sino que es una auténtica y muy bien disfrazada invocación espiritista. Desafortunadamente la gente no tiene la costumbre de discernir el peligro en cuestiones espirituales y se deja llevar por sus maestros creyendo que todo es inofensivo. Por esta razón es fácil que la gente crea que sus espíritus guías son espíritus buenos de parte de Dios que les ayudan a aumentar su poder interior y, de hecho, muchos invocan a un supuesto "Jesucristo" para que ocupe este papel. La práctica demuestra que efectivamente la gente obtiene este poder y lo desarrolla con gran éxito. Pero, como dice la conocida frase "no todo lo que brilla es oro", no debemos de dejar de analizar la verdadera procedencia de ese poder.

---

25 Silva, Jose: *"The Silva Mind Control Method"*, Pocket Books. First Pocket Printer 1978, New York, Usa, pp. 223.

A.-) Jesús dice:

"No todo el que me dice Señor, Señor entrará al reino de los cielos, sino el que hace la voluntad de mi Padre que está en los cielos. Muchos me dirán en aquel día: Señor, Señor, ¿no profetizamos en tu nombre, y en tu nombre echamos fuera demonios y en tu nombre hicimos muchos milagros? Y entonces les declararé: Nunca os conocí, apartaos de mi hacedores de maldad".   Mateo 7:21-22

Aquí vemos claramente que, aunque la intención del que hace un bien o un milagro sea aparentemente buena, Jesús no lo reconoce. Él está buscando algo más que el simple hecho de hacer el bien. Jesucristo, lo que verdaderamente busca es que la gente se comprometa con Él para vivir una vida en Él y para Él. Jesús es Dios, Reverente y Santo y no actúa para hacer que un estudiante apruebe su curso del "Método Silva" haciendo alarde de sus poderes sanadores. Jesucristo sana hoy: Sí, pero cuando un corazón contrito y humillado apela a su misericordia. En conclusión, este poder del control mental no proviene de Jesús y, por tanto, no es Él quien hace esos milagros de sanidad.

B.-) Cuando la Biblia habla de la ayuda de los ángeles de Dios, explícitamente dice que sólo están al servicio de aquéllos que son salvos por la sangre de Jesucristo.

"Pues, ¿a cuál de los ángeles dijo Dios jamás: Siéntate a mi diestra hasta que ponga a tus enemigos por estrado de tus pies? ¿No son todos espíritus ministradores, enviados a favor de los que serán herederos de la salvación?   Hebreos 1:1

Los ángeles jamás actúan por invocación, esto es invitándolos a entrar en un cuerpo humano. Ellos prestan su ayuda desde fuera, ya que hacerlo de otra manera sería totalmente opuesto al mandamiento de Dios, como lo vemos en la ley dada a Moisés:

"Y el hombre o la mujer que invocare espíritus de muertos o se entregare a la adivinación, ha de morir...Su sangre será sobre ellos".

Levítico 20:27

C.-) Dios siempre va a respetar la voluntad del hombre. Sin embargo, una de las características de la personalidad satánica es manejar, controlar, dominar y manipular la voluntad. Y ésta es precisamente una de las facultades que se adquiere en el control mental. Aunque se le recomienda al iniciado que use su poder para el bien, la experiencia muestra que el ser humano, tan lleno de debilidades, fácilmente cae en el deseo de manipular la mente de alguien para lograr así algún objetivo. Al haberse dejado habitar por entidades espirituales no provenientes de Dios, con más razón es impulsado por sus guías a obtener este tipo de ventajas usando su poder. No deben extrañarnos las estadísticas que muestran que la gran mayoría de las personas que se gradúan en este tipo de estudios paranormales son afectadas con fuerte depresión, marcados contrastes de personalidad, angustia nocturna, así como otros trastornos emocionales.

¿Es verdadero este "Control Mental"? Podemos afirmar que, aplicando el método hermético, sí, es experimentable y podemos ver un resultado de poder. Pero, como lo hemos demostrado ya, este poder no proviene de Dios. Tampoco es un poder mental, porque si fuera netamente mental, ¿Cuál sería la necesidad de usar seres espirituales para su efectividad? Podemos concluir, por tanto, que el Control Mental es una experiencia ciertamente comprobable, pero no proviene de las fuentes de "La Verdad", que es Dios, y su fin, como lo decía el sabio Salomón, es camino de muerte.

LA GRAN BABILONIA Y EL PLAN SECRETO DE LA MASONERÍA

La Biblia menciona el término "La Gran Babilonia" que muchos teólogos han interpretado como el conjunto de religiones paganas o la mezcla de los diferentes conceptos religiosos. Este nombre proviene de Babel, que significa confusión, y tuvo su origen con la famosa Torre de Babel por medio de la cual los hombres pretendieron, inútilmente, llegar al cielo. Este, además de ser un hecho histórico registrado en el libro de Génesis representa, simbólicamente hablando, el esfuerzo de los hombres por alcanzar a Dios por sus propias fuerzas, por sus propias obras y por sus propios medios. Las Escrituras nos narran este evento diciendo:

"Y dijeron: vamos, edifiquémonos una ciudad y una torre que llegue al cielo; y

hagámonos un nombre, por si fuéremos esparcidos sobre la faz de la tierra".   *Génesis 11:4*

La torre fue construida por un tirano llamado Nimrod que gobernaba el mundo en aquella época. Era un hombre de gran poderío y de gran influencia entre sus seguidores. Fue el precursor de la Religión Babilónica de la que él mismo era sacerdote. Babilonia ha sido conocida como la cuna o la madre de todas las religiones paganas. Era famosa por sus misterios y sus ritos llenos de simbología. Además es considerada como el nido de donde surge toda idolatría. La historia bíblica narra que Dios se airó de tal manera por la rebeldía y las abominaciones que se estaban cometiendo que confundió las lenguas y dispersó a todos los habitantes de Babel. De este éxodo se formaron las antiguas civilizaciones que llevaban como sello la semilla filosofal del aquel reino caído. Como confirmación de esta teoría, algunos historiadores afirman que el sistema religioso de Egipto tuvo su origen en Asia y en particular en el imperio primitivo de Babel.

En su conocido trabajo "Nínive y sus Ruinas", Layard[26] declara que tenemos el testimonio unido de historia profana y sagrada y que es Babilonia de donde surge todo el sistema idolátrico y ocultista más antiguo. De hecho, si se comparan todas estas religiones politeístas, sus dioses y sus ceremonias con la matriz ideológica que las dio a luz, vamos a encontrar grandes similitudes.

Al morir Nimrod, su fallecimiento fue muy lamentado por todo el pueblo y todo hacía suponer que aquel Emperador se llevaría todas sus filosofías a la tumba. Sin embargo, el auge de la religión se expandió aún más por su viuda, la reina Semíramis. Después de la muerte del monarca, su mujer lo proclamó dios solar, quien había partido en su eterno ciclo, pero regresaría de nuevo con más fuerza. Pocos meses después, la reina adúltera dio a luz un hijo ilegítimo al que llamó Tamuz y lo presentó al pueblo asegurando que este

---

26 LLayard, A. H:*"Nineveh and its Remains"*. London: John Murray, 1849.

fruto de su vientre era el mismo Nimrod reencarnado que provenía de una concepción inmaculada. Semíramis promovió también la adoración al sol y a la luna. De estas antiquísimas teologías paganas es de donde se desprende el pensamiento iniciático y masónico, así como muchos de los símbolos que se manejan en la actualidad.

De ahí viene también la teoría de la reencarnación y la astrología, la magia contenida en las fechas de los solsticios que llegó hasta las culturas precolombinas de América, y que es clave enlos grandes acontecimientos de la Masonería.

De ahí proviene la hipótesis de los viajes de los difuntos a través de los diferentes planos astrales del más allá, que vemos tanto en la mitología egipcia como en la maya. Todo este conjunto de filosofías religiosas, que un día salieron de Babel, se están volviendo a unir en la actualidad para invadir al mundo. Este "renacimiento" del pensamiento babilónico, en su aspecto religioso esotérico, lleva el nombre de "La Nueva Era". En su forma exotérica o popular es conocida como "El Ecumenismo". Los dos movimientos caminan en forma paralela con una misma meta: Un sistema religioso mundial. La Nueva Era lleva a cabo su plan influenciando al mundo con los señuelos de la Metafísica, la Cibernética, la Dianética, el Control Mental, el Yoga y la Meditación Trascendental, el Espiritualismo, la Magia y todas las demás ciencias paranormales. El Ecumenismo intenta hermanar al mundo bajo un mismo Dios, que supuestamente se ha manifestado de diferentes formas en diversas culturas.

Esta cadena que pretende atar al mundo con estas dos corrientes, es apenas una mínima parte de un plan fraguado desde hace muchas generaciones. Un plan destinado a la formación de un nuevo orden mundial que un día, quizá, veremos salir a la luz. Todo está perfectamente organizado y estructurado. Lo que se percibe, y sólo entre los que saben, es únicamente la punta del "iceberg". Debajo están los planos; los organigramas secretos del "Gran Arquitecto del Universo";

las potencias que se preparan para lo que ellos llaman "El gran golpe".

La Masonería ha pretendido siempre gobernar toda la tierra. Esta estructura religiosa y gubernamental que rige el sistema de este mundo, la Biblia la llama "La Gran Babilonia, la gran ramera que ha fornicado con todos los reyes de la tierra".

Lo que se podría interpretar como una serie de alianzas corruptas entre los gobiernos y las religiones que están comprometidas, íntimamente con ellos.

".... la gran Babilonia se ha hecho habitación de demonios y guarida de todo espíritu inmundo, y albergue de toda ave inmunda y aborrecible. Porque todas las naciones han bebido del vino del furor de su fornicación; y los reyes de la tierra han fornicado con ella y los mercaderes se han enriquecido de la potencia de sus deleites".

Apocalipsis18:2-5

Cuando las escrituras hablan de "Copa" o de "Vino", al igual que en la simbología esotérica, la mayoría de los exégetas concuerdan en que se refiere a pactos espirituales. Esto nos habla de la confusión o mezcla de conceptos filosóficos y ritualistas que se encuentran en la Masonería.

Unir al mundo ha sido uno de los más grandes ideales o utopías de la humanidad. La mente del hombre clama en su interior por poder lograr esta unificación y sueña con la fuerza indescriptible de un poder que gobierne toda la tierra. Así lo vimos anteriormente en el pensamiento de Weishaupt, el creador de los Illuminati, y éste es, precisamente, también uno de los pilares del pensamiento masónico.

HIPÓTESIS DEL PLAN PERFECTO

1) No podemos dejar de ver que el hombre es un ser

espiritual. Por tanto esta necesidad tiene que ser concretada.

2) No es posible eliminar las religiones que tanto han dividido a los pueblos y aniquilar la búsqueda espiritual de cada hombre, como lo ha demostrado el fracaso del comunismo.

Entonces la única solución es tachar a los sistemas religiosos de ser un conjunto de dogmas obsoletos. Calificar el verdadero mensaje de la Biblia como un fanatismo para gente ignorante y convertirla en un libro cabalístico y simbólico; significaría dejar al hombre carente de todo fundamento para su existencia.

Por tanto hay que presentar una alternativa: Una religión universal, que una a todos los hombres respetando sus creencias bajo la más amplia tolerancia (al menos en teoría), llevándolos a la paz y a la fraternidad mundial. Una NUEVA ERA para la expresión del espíritu. Una religión que nos una a todos por el único eslabón que todas tienen en común: "El lenguaje de los símbolos", que cada quien pueda interpretar conforme a su propio razonamiento y respetar el de los otros. Una religión que tenga como meta más sublime hacer del hombre un dios, pleno en sí mismo, lo que sólo se puede alcanzar llevando la razón y la mente a su más alto potencial….

"¡Y seréis como Dios, sabiendo el bien y el mal!"….

Conseguir esto quitando todos los dioses históricos causantes de casi todas las guerras, y erigir el monumento que seduce a todas las mentes: "El Superhombre". La suprema conciencia edificada en un ser autosuficiente y perfecto. El hombre liberado de todo lo que le impide ser plenamente hombre. Experimentar, a través de la filosofía de "Los Grandes Iniciados" o los "Avatares del Conocimiento Universal", que la razón está por encima del Espíritu.

Debemos destacar aquí que todo lo que acabamos de decir está perfectamente simbolizado en el "Ara" masónica cuando según el grado, la escuadra, el compás y las espadas se colocan en forma específica sobre la Biblia, que simboliza la vida espiritual.

De este Superhombre exaltado por Zoroastro, Nietzsche y Voltaire también habla el libro de Apocalipsis cuando en el capítulo 13:18, dice: "Aquí hay sabiduría. El que tiene entendimiento cuente el número de la bestia, pues es número de hombre. Y su número es seiscientos sesenta y seis". Seis, según la simbología bíblica aceptada comúnmente, simboliza al hombre sin Dios, esto es la naturaleza Adámica que perdió su comunión con Dios al contaminarse con la semilla del mal. A esta cifra también da una explicación John Yarker[27], Gran Maestro del Rito Antiguo y Primitivo en su libro "Speculative Freemasonry":

"El lugarteniente de Hiram, Adonhiram, es nombrado jefe de los trabajos; seis maestros le asisten en su tarea, siendo el número seis el símbolo del hombre físico. Esta cifra se repite tres veces en el caso de la marca de la bestia mencionada en el Apocalipsis, porque tres, representa la trilogía de lo perfecto por lo que concluyo entonces, que 666 es el hombre perfecto en sí mismo; el que no necesita un Dios redentor, o sea: el Superhombre.

La famosa marca de la bestia, símbolo de esta suprema magnificencia del ego humano, ¿no tendrá nada que ver con la marca masónica, que simbólicamente es grabada con fuego en el corazón de todo iniciado a la Asociación? La Biblia menciona un pasaje para reflexionar con respecto a esto.

---

27 John Yarker: *"Speculative Freemasonry"*, London, 1883,pp. 563.

"¡Si alguno adora a la bestia y a su imagen, y recibe su marca en la frente o en la mano, él también beberá del vino del furor de Dios que ha sido vertido puro en la copa de su ira...".

Apocalipsis 14:9-10

Algunos teólogos le dan a estos versículos una interpretación literal, otros la espiritualizan, pero en todo caso la mayoría estará de acuerdo en que se trata de una forma de pensar, de un símbolo que se opone al pensamiento del Único Dios.

Engañar es la máxima facultad de satanás y no es difícil imaginar cuantos millones viven ya "sellados" simbólicamente, por el humanismo, por la "Nueva Era", por el deísmo y las ciencias ocultas; convencidos por simples frases, envanecidos en sus propios razonamientos, no tomando en cuenta a Dios. Amado lector, si es usted Masón recordará sin duda que le fue dicho el día de su iniciación que pensara y que no siguiera nada que no entendiera. Mi exhortación es que lo haga ahora y que lo haga seriamente.

En un estudio que realicé sobre los diferentes grados de la Masonería, resaltó un evento que tiene gran similitud con una de las señales del fin de los tiempos que Jesucristo anuncia a sus discípulos:

"Pero cuando viereis a Jerusalén rodeada de ejércitos, sabed entonces que su destrucción ha llegado".   *Lucas 21:20*

Esta profecía se cumplió literalmente en el año setenta, sin embargo la Jerusalén actual simboliza para las religiones más importantes del mundo su "Ciudad Santa" y es el símbolo de lo que la Masonería más aborrece: "La Religión".

Ahora bien, quiero que note cómo está relatado este mismo evento en la constitución y reglamentación del Grado 32 del Antiguo y Aceptado Rito Escocés de la Francmasonería[28], el cual dice:

---

28 Pike, Albert:*"Morals and Dogma of the Ancient and Accepted Scottish Rite Freemasonry"*. City: Kessinger Publishing, LLC. 2002.

"Este grado, último del Rito Escocés, antes del grado supremo, posee el poder ejecutivo del Rito y resume toda la doctrina para asegurar su funcionamiento. La asamblea de los masones de este grado se llama Consistorio, y su emblema representa, la formación de una armada francmasónica compuesta de los masones de todos los grados, la cual emprende una campaña para ir a apoderarse de Jerusalén y poseer su templo, y que acampa esperando su asalto definitivo. Comprende 15 cuerpos de armada que se reunirán en los puertos de Nápoles, Malta, Rodas, Chipre y Jaffa, para operar su concentración y marchar sobre Jerusalén".

"Esta concentración de la armada masónica se verifica cuando la señal, un cañonazo, es dada por el jefe que tiene el mando supremo".

"El primer cañonazo y la primera concentración tuvieron lugar cuando Lutero se puso a la cabeza en combate contra la inteligencia y la forma...."

"En la quinta concentración se llevará a cabo el reinado del Santo Imperio, es decir el reinado de la Razón, de la Verdad y de la Justicia".

Esto es lo que enseña la Masonería mientras sus adeptos piensan ingenuamente que se respeta su religión en la más amplia tolerancia.

En el tercer Juramento que se hace en este grado dice:

"Juro ser y mostrarme siempre como el enemigo más encarnecido e implacable de toda tiranía espiritual (Religión) que trate de imponerse a las conciencias de los hombres. Juro impedir por todos los medios, cualesquiera que sean, toda tentativa de Iglesia, de Templo, de la Sinagoga o de la Mezquita, de oponerse a la libertad de la consciencia, de subyugar el pensamiento y la opinión de sus esclavos y de pretender y obligar a los hombre a creer lo que quieren".

3) La tercera parte de este plan perfecto es mover los poderes políticos a través de una organización subterránea, que tiene como objeto un nuevo orden mundial. Como lo expresaba Weishaupt: "Gobernar en lo secreto, uniendo a los poderes más importantes del mundo sin necesidad de partidos políticos ni oposición externa".

4) Una vez completados los proyectos de esta organización secreta, invadir al pueblo con la motivación de una Nueva Era; una era de conocimiento; una era sin barreras para las experiencias espirituales y mentales; una Nueva Era para el gran "Yo" dentro de cada ser, la utopía de un mundo nuevo de paz y de fraternidad en el cual "todo es permitido", en aras de adquirir el conocimiento de la vida. Conquistarlos a través de la música, introducir en las escuelas y universidades el humanismo, la parapsicología, el gnosticismo y aún el socialismo y el ateísmo, y desde las profundidades, manejar las fuerzas espirituales que los controlan estas entidades.

5) Sacar a la luz, de entre los grandes iniciados de la Masonería, la potencia gobernante.

Este plan no es tan descabellado para Serge Raynaud de la Ferrière[29], Muy ilustre y Sublime Gran Maestre de la "Gran Fraternidad Universal" y Gran Inspector Grado 33 de la Masonería, el cual señala:

- "Ante todo es necesario saber que por encima de nuestras Logias, de nuestros templos, de nuestros grandes orientes y de nuestros ritos, ha existido siempre una Dirección Iniciática Universal, una Masonería o Gran Oriente Universal de carácter esotérico, cuyo Con:. Sup:. (Consejo Supremo) compuesto de verdaderos iniciados, recibe la línea directa de los propios Santos Santuarios Esotéricos para transmitirla a través de ciertos intermediarios a organismos más exotéricos".

---

29 De La Ferrière, S.R.:"*El Libro Negro de la Francmasonería*", 14 Ed. Diana, Editorial Menorah, 1985, pp.139.

-"Estamos seguros de que nuestros H:. M:. (Hermanos masones) se admirarán de esto, no habiendo oído jamás de tal Dirección Superior. En cuanto a aquéllos que lo saben y lo guardan celosamente en su corazón para ser fieles a su promesa, va a producir escándalo tal divulgación. Que guarden serenidad".

-"Todos aquellos que como nosotros pertenecen al Supremo Consejo del Gran Colegio de los Ritos, saben que desde hace poco tiempo esta Dirección Superior, en vista de la deformación del verdadero Espíritu Masónico en nuestros días, ha decidido intervenir después de casi dos siglos de voluntario silencio y ha enviado al mundo una POTENCIA X con la misión de renovar y restablecer el Verbo Sagrado que desaparece más y más de nuestros templos, cediendo el puesto a la ignorancia y al fanatismo".

-"Naturalmente que no es cuestión de revelar el nombre de esta POTENCIA que como su significado lo indica, debe quedar a pesar de todo desconocida, ni se trata de dar los detalles más precisos sobre el Sublime Organismo que la envía. Por lo demás, aunque quisiéramos, no podríamos hacerlo; un silencio sepulcral verdaderamente iniciático la preserva de toda tentativa curiosa del mundo profano".

-"Esta Dirección Mundial organiza e instruye las diferentes asociaciones secretas; en todo tiempo ha tenido sus ramificaciones en todos los países, lo que ha permitido perpetuar la Tradición Iniciática desde milenios".

-"...El hecho de que divulguemos esto, conservado rigurosamente secreto hasta hoy, corresponde a razones cósmicas; acabamos de entrar a una nueva era en la que gran parte de lo que fue oculto va a ser manifestado".

-"...Los verdaderos Grandes Maestros no son siempre aquellos que parecen revestidos de gran autoridad; detrás de los poderes representativos, de los títulos y de las funciones

En la medida en que el miembro de esta organización avance en grados irá descubriendo cuál es el origen y de dónde provienen las influencias que controlan y dominan a la Masonería.

están los Patriarcas, Los Verdaderos Venerables, las Potencias, que dirigen al mismo tiempo todos los Ritos del mundo porque están a la cabeza verdaderamente de la Masonería Universal".

En la Convención Internacional Masónica México 82[30], se dijo en una de las ponencias:

"Es tal la fuerza que la Masonería encierra, que incluso ha tenido grande influencia en las asociaciones que nacieron para ser nuestras enemigas y detractoras". Y haciendo hincapié en este plan oculto de gobierno mundial, añade: "Como dice el ´I Ching´ (El libro chino de la sabiduría) Las circunstancias son difíciles. La tarea es grande y llena de responsabilidad".

Se trata nada menos que de conducir al mundo para sacarlo de la confusión y hacerlo volver al orden. Sin embargo es una tarea que promete éxito puesto que hay una meta capaz de reunir las fuerzas divergentes. ¿No podría ser ésta una verdadera meditación masónica? Nuestra obligación es hacer retornar el orden, y no podríamos cumplirla si antes no hubiéramos obtenido la armonía interna a la que los símbolos conducen. La labor que nos corresponde es la meta suprema y común, en aras de la cual pondremos toda nuestra fuerza unida, anteponiéndola siempre a todo tipo de interés personal. Nuestra tarea es la lucha incesante por la unión y la paz".

La Biblia menciona a este respecto, algo similar en la primera epístola a los Tesalonicenses 5:3 "...que cuando digan "Paz y Seguridad", entonces vendrá sobre ellos destrucción repentina, como los dolores de la mujer encinta y no escaparán". Este pasaje ha sido interpretado por numerosos teólogos e historiadores, como Irineo y Tertuliano, como el mensaje de los falsos profetas, cuyo éxito superior al de los verdaderos, se funda precisamente en ese agradable optimismo.

---

30 Gonzalez, Federico y Trejo Fernando: Ponencia Presentada ante la Convención Internacional de México. 1982.

La Biblia jamás nos habla de que Dios se haya propuesto unir todas las culturas y religiones de los hombres. De hecho, Jesucristo habla claramente a este respecto, diciendo:

"No penséis que he venido a traer paz a la tierra, no he venido a traer paz, sino espada. Porque he venido a poner en disensión al hombre contra su padre y a la hija contra su madre y la nuera contra su suegra y los enemigos del hombre serán los de su propia casa. El que ama a padre o a madre más que a mí, no es digno de mí; o el que ama a hijo o a hija más que a mí, no es digno de mí; y el que no toma su cruz y sigue en pos de mí, no es digno de mí".

Jesús habla de unidad bajo Su nombre, pero no de unidad con todas las religiones. Jesús hablaba, además, de establecer la verdad del Reino de Dios, y esto que a Él le costaría la vida, iba a producir una crisis en el pensamiento religioso y humanista, en el paganismo y en las mentes ateas de muchos. Dejó bien en claro que establecer la Vida de Dios por primera vez en el espíritu de los creyentes iba a producir un conflicto con el pensamiento filosófico del mundo "gentil" (los no judíos) y el rechazo profetizado entre los de su mismo pueblo.

Jesús era un filántropo y lo demostró con su parábola del buen samaritano; que ejemplifica su vida, pero nunca en su enseñanza estuvo el condescender con el pensamiento de otras religiones, desvirtuando así la doctrina pura de Su Padre. Sin embargo, a todos ayudó o sanó sin esperar de ellos agradecimiento. Es más, Su gran amor por los hombres lo llevó a la cruz, para que todo aquel que aceptara este sacrifico, tuviera acceso a la vida eterna.

¿Quién es entonces, quien verdaderamente está buscando esta unión, para demostrar que el Jesús de la Biblia estaba equivocado y que el hombre sí puede lograr la unificación universal por sí mismo?

En el Congreso Internacional de las Fuerzas del Espíritu, El

Gran Maestre Serge R. De la Ferrière[31] empezó su discurso diciendo:

-"A∴L∴G∴A∴D∴U∴" (A LA GLORIA DEL GRAN ARQUITECTO DEL UNIVERSO)...

-"Vamos a permitirnos hacer una aclaración en estos tiempos de ansiedad y en este lugar donde va a debilitarse el porvenir espiritual del mundo".

-"...La Francmasonería es una institución filantrópica, filosófica.... que tiene por objeto el ejercicio de la beneficencia, el estudio de "La Moral Universal", el análisis de las ciencias y la práctica de todas la Virtudes".

-"....El Gran público generalmente siente cierta dificultad cuando se trata de esoterismo, de ocultismo o de iniciación y por "Masonería" vislumbra inmediatamente una magia incalificable, porque el pueblo ciego por el fanatismo, involucra inmediatamente asociación secreta con Masonería".

-.... "Que importa la forma de honrar al Gran Arquitecto del Universo.... Nuestra primera y gran virtud es la "Tolerancia".

Ahora bien, si Jesucristo piensa radicalmente lo opuesto a S.R. De la Ferrière, ¿De dónde proviene esta "Moral Universal" que tanto se esfuerza en alcanzar? y ¿Esta tolerancia es real? ¿O es tan sólo una frase para que el adepto baje la guardia en cuanto a sus creencias religiosas y se sienta seguro, y así poderle inculcar la doctrina iniciática? Como dice el Magister Aldo Lavagnini[32] en el "Manual del Aprendiz", refiriéndose al recién iniciado: "Debe cesar de aceptar pasivamente las falsas creencias y las opiniones externas, con objeto de abrirse su propio camino hacia la Verdad".

Veamos lo que plantea uno de los más grandes exponentes

31 De la Ferrière R.S: Congreso Internacional de las Fuerzas del Espíritu París, 1949

32 Lavagnini, Aldo: *"Manual del Aprendiz"*, 7ª Ed., Editorial. Kier, Bs. As. pp. 170.

de la Masonería Universal, Manly Hall[33], Soberano Gran Inspector General, acerca de esta fuerza que se mueve a través de cada masón y de cada iniciado en la Nueva Era:

- "Cuando el Masón aprende que la llave del guerrero del cuarto es la aplicación correcta del dínamo del poder de la vida, ha aprendido el misterio de su oficio. Las hirvientes energías de Lucifer están en sus manos".

Y en sus instrucciones para los Veintitrés Concilios Supremos Mundiales, Albert Pike[34] escribió lo siguiente, que es la verdad masónica:

-"A Usted, Soberano General de los Grandes Inspectores, le decimos esto: que repita a los Hermanos de los grados 32, 31 y 30, que la religión masónica debe permanecer para todos nosotros, los iniciados en los altos grados, en la pureza de la doctrina Luciferina…. Si, Lucifer es Dios, y desgraciadamente Adonaí también es Dios…. Lucifer, el Dios de luz y el Dios del bien lucha por la humanidad en contra de Adonaí el Dios de las Tinieblas y del mal". (Adonaí es uno de los nombres de Jehová en la Biblia).

En los siguientes capítulos quiero demostrar que esto que acabo de afirmar y trascribir, es verdad y que la verdadera fuerza que se mueve detrás de las ciencias iniciáticas y de la Masonería no es otro sino satanás.

---

33 Hall, Manly *"The Lost Keys of Freemasonry"*. Philosophical Research Society Inc; 2nd Edition,1996, pp. 110.

34 Pike, Albert: Concilio XIII Supremos Mundiales, 14 de Julio de 1889.

El Templo de Salomón y la Logia Masónica

Para poder llegar a una conclusión sobre el origen y el verdadero fundamento de las logias masónicas es importante hacer un poco de historia y remontarnos a su oscuro nacimiento.

Aunque a la organización se le reconoce como tal a partir del siglo XVII con la agrupación de los constructores y albañiles de las catedrales del Medioevo, en su aspecto esotérico se remonta hasta la Edad Antigua. Ahí es donde se encuentra el origen de la simbología, de las religiones y las raíces del actual pensamiento masónico. En este aspecto, más que pensar en su historia como un orden establecido, el pensamiento masónico es, sobre todo, un tipo singular de razonamiento místico, oculto o secreto, que fue surgiendo de casi todas las civilizaciones y que tomó forma en la Edad Media.

El Magister Aldo Lavagnini[35] expresa a este respecto: "Todos los pueblos antiguos conocieron, además del aspecto exterior o formal de la religión, de las prácticas sagradas, una enseñanza paralela interior o "esotérica", que se daba únicamente a los que se reputaban moral y espiritualmente dignos de recibirlas. Este aspecto de la religión lo suministraban especialmente los llamados "Misterios" (que etimológicamente quiere decir mudo o secreto y que se caracterizaba por la obligación de mantener en secreto este aprendizaje por medio del juramento que se requería del iniciado)."

Hubo misterios instituidos en todos los pueblos conocidos por la historia en la era pre cristiana, en Egipto, en la India, en Persia, Caldea, Siria, Grecia y en todas las naciones mediterráneas, entre los druidas, los godos, los escritas y los pueblos escandinavos, en la China y en los pueblos indígenas de América. Puede observarse bocetos de ello en las curiosas ceremonias y costumbres de las tribus de África y Australia Tuvieron fama especialmente los misterios de Isis y de Osiris en Egipto (dioses de la luna y el sol respectivamente); los de Orfeo y Dionisio, y los Eleusinos en Grecia y los de Mitra, que, desde Persia, se extendieron con las legiones romanas por todos los países del imperio.

Igualmente la religión brahamánica, así como la musulmana y algunas prácticas que el Catolicismo fue adquiriendo, son sin duda anteriores al establecimiento de dichas religiones.

La egipciología es primordial para el pensamiento iniciatico masónico ya que de esta antigua civilización provienen varios de los grandes misterios de la magia.

El grupo Deliker publicó el siguiente artículo en julio del 2009[36].

"Los misterios egipcios constituyen uno de los fundamentos remotos del Arte Regio de la Francmasonería. Son muchos

---

35 Lavagnini, Aldo: *"Manual del Aprendiz"*, 7ª Ed., Editorial. Kier, Bs. As.170 pp.

36 http://newsgroups.derkeiler.com/Archive/Soc/soc.culture.argentina/2009-07/msg00352.html

los elementos conceptuales, rituales y simbólicos de la Orden de la Acacia en los que se trasluce el vínculo con la grandiosa civilización del Nilo y su elevada espiritualidad solar".

Figura en primer lugar la esfinge, símbolo del secreto y por tanto de la esencia del esoterismo masónico. Junto a ella destaca la figura del triángulo, que tanta importancia cobra en la simbología masónica y que, entre otras cosas, viene a ser la representación esquemática de la pirámide egipcia, imagen del espíritu humano que se proyecta hacia lo alto para tocar con su vértice superior la luz del Sol, representación de la luz divina, la luz de la verdad.

Las Pirámides egipcias fueron construidas hace 4,000 años para dar gloria a sus dioses. Estas eran templos en los que se realizaban complejos rituales de nacimiento y muerte, basados en una vida más allá.

Muchos de los rituales utilizados de la logia masónica tienen su origen en la civilización egipcia, específicamente en la adoración a las figuras de Isis, Osiris y Horus.

A esto hay que añadir que la perfección de la obra maestra en pos de la cual ha de trabajar el masón está representada por la "piedra cúbica" coronada por la "piedra piramidal".

Otro símbolo masónico de raíz egipcia es el Ojo que todo lo ve, representado frecuentemente dentro del triángulo. Este ojo, símbolo de la providencia divina y también del "ojo del conocimiento" u "ojo de la mente" que se abre gracias a la iniciación, aparece ya en las estelas del antiguo Egipto, asociados al dios Horus, encarnación del poder creador y victorioso de la luz, cuya visión disciplina los males y reintegra los miembros dispersos de los muertos. Capital importancia tiene dentro de la espiritualidad masónica la figura de Isis, la diosa egipcia que ocupaba el lugar central de los misteriosos cultos del antiguo Egipto.

Derecha: El ojo egipcio de Horus.

Abajo: Billete de dólar. Se observa El ojo "que todo lo ve", con la pirámide de fondo símbolos de poder y control.

Ojo de Horus

El Ojo que todo lo vé

Isis, la Madre divina, viuda tras la muerte de su esposo, el dios Osiris, cuyos restos mortales busca sin cesar para devolvernos a la vida. Ella es la viuda a la que alude el título de "Hijos de la Viuda" que a sí mismo se da a los masones. La incansable búsqueda de Isis es el modelo que ha de imitar el buen masón en su incesante búsqueda de la palabra perdida. Isis misma es considerada como la encarnación de esa palabra perdida, la cual, como dice Christian Jacq[37], es al mismo tiempo madre y viuda: "siempre madre puesto que engendra nuevos iniciados, y siempre viuda porque permanece eternamente una y no será jamás detentada por un hombre.

Albert Mackey[38] afirma que Egipto fue la cuna de la geometría y del arte regio de la construcción. Lo que es como decir que es la cuna de la masonería en su doble vertiente especulativa y operativa. De Egipto derivan, según Mackey, las ciencias y los misterios del antiguo mundo pagano, descansando la sabiduría egipcia en esa fusión de geometría y albañilería operativa que hizo posibles las grandiosas construcciones como las pirámides y los templos egipcios; dicha fusión de la ciencia y el arte continuaría posteriormente en la tradición masónica".

A este respecto el Maestro Aldo Lavagnini[39] añade:

"La Masonería, en su búsqueda del conocimiento universal, ha atribuido a todas las religiones y ritos secretos su fundamento esencial. Sin embargo, es El Espíritu de la Religión el que ha ido tejiendo esta misteriosa sabiduría a través de los siglos. Mitos, leyendas, ceremonias de todo tipo, forman parte del conjunto que constituye la verdad oculta y, su postulación básica es, en esta lógica, que ninguna

---

37 Jacq, Christian, *"La Francmasonería"*, 2ª Ed. 2004, Madrid, Ediciones Matinez Rosa, pp.132.

38 Mackey Albert, *"Lexicon of Freemasonry"*, Kessinger Publishing, LLC, 1994, pp. 528.

39 Lavagnini, Aldo: *"Manual del Aprendiz"* 7ª Ed. Ed. Kier, Bs. As. pp.170.

religión es falsa, sino que todas son verdaderas".

Como ya vimos anteriormente, todo esto es absolutamente opuesto al Dios de la Biblia, quien no se mezcla con nadie y no sólo eso, sino que se opone en forma terminante a usar la simbología en forma esotérica y a la adoración de los dioses representados por los astros y las imágenes.

Izquierda: Isis: A ella se le atribuye el título de "Hijos de la Viuda", el mismo usado en las Logias Masónicas.

Abajo: Isis, diosa egipcia de la magia, hermana de Osiris y Seth, madre de Horus. Culto a la madre y al niño 3.150 años A.C.
De esta derivaría la Reina del Cielo.

"Guardad pues mucho vuestras almas, pues ninguna figura visteis el día en que Jehová habló con vosotros de en medio del fuego; para que no os corrompáis y hagáis para vosotros escultura, imagen de figura alguna, efigie de varón o hembra, figura de animal alguno que está en la tierra, figura de ave alguna alada que vuele por el aire..."   *Deuteronomio 4:15*

Aquí vemos que toda la imagenología egipcia, babilónica y de los pueblos paganos es reprobada por Jehová Dios, bajo la advertencia de la corrupción de sus almas. Con más profundidad veamos este mismo rechazo del Dios Bíblico a los símbolos y las imágenes religiosas:

"Y desampararon la casa de Jehová el Dios de sus padres, y sirvieron a los símbolos de Asera y a las imágenes esculpidas".
                                                   2 Crónicas 24:18

"...Y este será todo el fruto; la remoción de su pecado; cuando haga todas las piedras del altar como piedras de cal desmenuzadas, y no se levanten los símbolos de Asera ni las imágenes del sol".
                                                       Isaías 27:9

Después de leer estos pasajes, vemos el pensamiento de Dios respecto de los símbolos y los dioses ajenos a Él. En este caso, se está refiriendo específicamente a los que tienen su fundamento religioso en el dios sol, y en la diosa luna, cuya adoración puede ser vista en la gran mayoría de las antiguas civilizaciones.

Es importante sacar a la luz estos contrastes entre el sentir ocultista y el del Dios de la Biblia, ya que vamos a ver en la simbología masónica cómo los "Misterios" o iniciados, van a entresacar continuamente porciones bíblicas para tratar de demostrar que, tanto Jehová como Jesucristo y el Espíritu Santo participan y aprueban su filosofía iniciática. Sin embargo nunca van a mencionar versículos como los que acabamos de leer y de los cuales está lleno el Antiguo Testamento.

Lo más sencillo para ellos, sería borrar al Dios de la Biblia, ya que sin Él se quitarían un enorme peso de encima por todas las contradicciones que presenta para sus teorías. Sin embargo, desterrar la figura del Dios de las Escrituras Hebraicas arrastraría gran confusión entre los adeptos de las ciencias ocultas. Atraería inmediatamente sospechas sobre la credibilidad de la Orden y se alejaría una multitud de incautos y esto es algo que no pueden permitir. Su astucia es precisamente lo contrario: extraer los versículos bíblicos fuera de su contexto original para darles una simbología análoga que concuerde con las demás religiones.

Efectivamente, encontramos similitudes en algunos símbolos, pero quiero recordarle que lo falso siempre va a tratar de parecerse lo más posible a lo verdadero, aunque en esencia sean opuestos.

Es tan poderoso el nombre de Jehová y Jesucristo, Su Único Hijo, que por más que quieran, no pueden eliminarlo. Entonces, para soslayar tal escollo, se dedican a transformarle, cambian su nombre y combinan sus principios con los más bajos principios infernales ya que para ellos ni satanás ni sus ángeles existen.

En el fondo, les estorba la santidad que hace único al Dios de la Biblia. No soportan la soberanía de Jehová el Padre y las aplastantes verdades del Hijo, pero es imposible desecharlos porque todo lo creado lleva Su sello y todas las cosas subsisten por la diestra de Su poder.

Sincretismo masónico usando el Tetragamaton "YHWH", las cuatro letras del nombre de Jehová en Hebreo.

¡Oh, que sueño iluso de Lucifer, de que nunca más se pudiera mencionar el nombre de Dios! Sin embargo, los versículos parecen emanar de la Biblia con toda crudeza, como luz brillante entre las tinieblas, cuando el iniciado sinceramente busca la verdad. Parece que saltan y estallan contra todo el conocimiento iniciático, gritando tanto al aprendiz como al maestro, que hay algo que está mal, que hay algo en el interior de la Orden que no concuerda con la pureza de Dios.

Y entonces, desgraciadamente, resulta más cómodo para el alma confundida cerrar la Biblia y correr al falso consuelo del conocimiento oculto. Taparse los oídos de la consciencia, descansar del resonar incesante de las palabras de Dios que hace eco en sus adentros clamando:

"EL TESTIMONIO DE JEHOVÁ ES FIEL" Salmos 19:7. O, como lo diría el sabio Salomón, *"El principio de la sabiduría es el temor de Jehová"* Proverbios 1:7.

Es el poder de Jehová lo que busca la Masonería, pero quitándolo a Él de en medio. Por esta razón vamos a ver que los símbolos bíblicos aparecer una y otra vez en la logia masónica, sin que éstos tengan relación con el Dios de la Biblia.

Es común entre los primeros grados de la Masonería, que los adeptos piensen que la logia es una representación simbólica del famoso Templo que Dios le ordenó a Salomón que edificase. Tanto los judíos como los evangélicos que están involucrados en la Orden se sienten afirmados en sus creencias religiosas al ver estos símbolos. También se les instruye que su arquitecto diseñador es Hiram Abiff, a quien el rey hebreo encargó esta sublime misión. Este personaje es, por lo tanto, una leyenda en la Masonería y a la vez un símbolo del constructor espiritual del Templo.

La Biblia cita a Hiram Abiff como uno de los orfebres que ayudó con toda las fundiciones necesarias para el Templo, entre las cuales estaban "Jaquín y Boaz" las dos columnas que estaban a la entrada. Sus réplicas están en todas las logias. Pese a estos símbolos hebraicos la verdadera representación que se busca edificar es el templo del dios Egipcio Amón-Ra.

El Sublime Gran Maestro Masón Serge R. De la Ferrière[40] dice, refiriéndose a Hiram Abiff, escribe:

"Muchos en verdad de los Hermanos Masones creen firmemente que se trata de un personaje más o menos histórico, cuando no se trata sino de un símbolo. Que se desengañen. Después de que los trabajadores espirituales fueron iniciados para edificar el templo de la Verdad, Hiram fue muerto muchas veces pero siempre resucitado. Hiram es Adonis muerto por un jabalí, es Pitágoras proscrito, es Osiris asesinado por Tifón, es Orfeo despedazado por los ebrios, es Jesús crucificado por Caifás, por Judas el Iscariote y Pilatos, es en fin Jaques (Santiago de Molay) condenado por un Papa, denunciado por un falso hermano y quemado por orden de un rey. Naturalmente esto no es más que una explicación en medio de otras tantas, pues si se tiene en cuenta que el nombre de Hiram tiene una relación con el fuego (pues no olvidemos que él era fundidor) la alegoría de su muerte correspondería a la regeneración o transmutación por este mismo elemento. Es el Jefe de Todos los Masones Verdaderos en el Mundo Entero".

Hiram en cierta forma es el Espíritu del ocultismo. Es el gran maestro arquitecto del templo secreto, escondido en las tinieblas. Es el inspirador del templo de Osiris en Egipto y de todos los templos mágicos del mundo. Es la potencia espiritual que ha ido develando los símbolos y repitiéndolos a través de las generaciones. Es el que ha ido atrapando al hombre en la

---

40 De la Ferrière S. R.: *"El Libro Negro de la Francmasonería"*, 14 Ed. Diana, Editorial Menorah, 1985, pp.139.

confusión de sus encantos y sus hechizos de conocimiento y de virtud. Es el espíritu de Lucifer, en su insaciable lucha por ocupar el trono del Altísimo. El Maestro De la Ferriére, continúa diciendo:

"Los Verdaderos Grandes Maestros no son siempre aquellos que parecen revestidos de toda autoridad; detrás de los poderes representativos, de los títulos y de las funciones, están los Patriarcas, los verdaderos Venerables, las Potencias, que dirigen al mismo tiempo todos los ritos del mundo porque están a la cabeza verdaderamente de la Masonería Universal".

En las escrituras Hebreo-Cristianas, el único ejército espiritual que se describe de esta manera es el del príncipe de la potestad del aire o sea Lucifer.

"Porque no tenemos lucha contra carne y sangre sino contra principados, contra potestades, contra los gobernadores de las tinieblas de este siglo, contra huestes espirituales de maldad en las regiones celestes".   *Efesios 6:12*

El verdadero Dios no quería que el Reino de los Cielos fuera algo secreto. Jesús dijo:

"Vosotros sois mis amigos si hacéis lo que yo os mando. Ya no os llamaré siervos, porque el siervo no sabe lo que hace su señor; pero os he llamado amigos porque todas las cosas que oí de mi padre, os las he dado a conocer".   *Juan 15:14,15*

La enseñanza de Jesús es sencilla y a la vez increíblemente profunda cuando una vida se entrega a Él. Y no me estoy refiriendo a un fanatismo hipócrita, sino a una entrega de corazón, a una decisión de calidad, en hacerlo Señor de nuestra vida.

La estructura del Reino de Dios es muy diferente. Dios no necesita una serie de potencias para iluminar al creyente. A quien recibe como hijo lo sienta directamente en las regiones celestiales junto a Jesucristo.

"Aún estando muertos en nuestros pecados, nos dio vida juntamente con Cristo (por gracia sois salvos), y juntamente con el nos resucitó, asimismo nos hizo sentar en los lugares celestiales con Cristo Jesús".

Efesios 2:5 y 6

En ningún parte de la Biblia encontramos que Dios tenga ejércitos o potencias espirituales que dirijan ritos en los templos del mundo. Por eso Jesús dijo:

"Derribaré este templo y lo edificaré en tres días". Dijo esto dando a entender que nunca más habitaría en templos hechos por hombre, sino en el corazón del que se rinde a Él. Su muerte y resurrección, abrieron el camino para que esto sucediera.

"Respondió Jesús y le dijo el que me ama, mi palabra guardará; y mi Padre le amará y vendremos a él y haremos morada con él".

Juan 14:23

El apóstol Pablo habla de esto a los primeros creyentes de Corinto: "¿O ignoráis que vuestro cuerpo es templo del Espíritu Santo?"

Ahora bien, si Jesús vino a derribar esta estructura ritualista para hacerse de una iglesia que fuera un organismo vivo, compuesto por los verdaderos creyentes, ¿cuál sería entonces el interés de volver a la vieja estructura del Templo?

El Templo de Salomón, como se describe en la Biblia, no era un lugar para adorar a cualquier dios, sino que era específicamente para que Jehová morase en medio de Su pueblo Israel. No se percibe que otras naciones adoraran ahí, y que cada quien venerase a su dios en la más amplia tolerancia, ni que fuera tampoco un lugar donde hubiera símbolos adoptados de otras civilizaciones. Dios le habló claramente a Salomón diciéndole:

"Con relación a esta casa que tú edificas, si anduvieres en mis estatutos e hicieres mis decretos, y guardares todos mis

mandamientos andando en ellos, yo cumpliré contigo la palabra que hablé a David tu padre; y habitaré en ella en medio de los hijos de Israel, y no dejaré mi pueblo Israel".   *1 Reyes 6:12,13*

Aquí vemos que Dios condiciona su presencia en el Templo. Dios no lo habitó porque hubiera un simbolismo mágico en la construcción o en el inmobiliario. Dios lo habitó porque Salomón cumplió con esta orden de Dios. Esta misma condición, es la que requiere hoy para morar en el templo hecho de carne.

Otra condición que Dios precisó, fue que el Templo fuera edificado para que exclusivamente Su nombre fuera adorado, "mi nombre estará allí" (1 Reyes 8:29) y no un nombre abstracto con el que cualquier dios pagano pudiera identificarse.

Veamos las diferencias claras entre el Templo de Salomón en la Biblia y el falso templo en una logia.

"Ahora bien, aún el primer pacto (el de Moisés) tenía ordenanzas de culto y un santuario terrenal. Porque el Tabernáculo estaba dispuesto así: en la primera parte, llamada Lugar Santo, estaban el candelabro, la mesa y los panes de la proposición. Tras el segundo velo estaba la parte del Tabernáculo llamada lugar Santísimo, el cual tenía un incensario de oro y el Arca del Pacto cubierta de oro por todas partes, en la que estaba una urna de oro que contenía el maná, la vara de Aarón que reverdeció y las tablas del pacto.

Y así dispuestas estas cosas, en la primera parte del tabernáculo entran los sacerdotes continuamente para cumplir los oficios del culto; pero en la segunda parte, sólo el sumo sacerdote una vez al año, no sin sangre, la cual ofrece por sí mismo y por los pecados de ignorancia del pueblo; dando el Espíritu Santo a entender con esto que aún no se había manifestado el camino al Lugar Santísimo, entre tanto que la primera parte del Tabernáculo estuviera de pie... pero estando ya presente Cristo, Sumo Sacerdote de los bienes venideros, por el más amplio y más perfecto Tabernáculo, no hecho de manos, es decir no de esta creación y no por sangre de machos cabríos ni de becerros, sino por su propia sangre, entró una vez y para siempre en el Lugar Santísimo habiendo obtenido eterna redención... y casi todo es purificado, según la ley, con sangre; y sin derramamiento de sangre no se hace remisión. Fue, pues, necesario que las figuras de las cosas celestiales fuesen purificadas así; pero las cosas celestiales mismas, con mejores sacrificios que estos. Porque no entró Cristo en el santuario hecho de mano, figura del verdadero, sino en el cielo mismo para presentarse ahora por nosotros ante Dios; y no para ofrecerse muchas veces, como entra el sumo sacerdote en el Lugar Santísimo cada año con sangre ajena. De otra manera le hubiera sido necesario padecer muchas veces desde el principio del mundo; pero ahora, en la consumación de los siglos, se presentó una vez y para siempre por el sacrificio de sí mismo para quitar de en medio el pecado. Y de la manera que está establecido para los hombres que mueran una sola vez y después de esto el juicio, así también Cristo fue ofrecido una sola vez para llevar los pecados de muchos; y aparecerá por segunda vez, sin relación con el pecado, para salvar a los que le esperan".

Aquí, la escritura nos resalta algunos puntos de radical importancia acerca del propósito del antiguo templo. Vemos, por ejemplo, que tenía como principal objetivo que los sacerdotes intercedieran por el pecado del pueblo. Aunque la gente en general no pudiera entrar directamente, Dios no los consideraba profanos, sino que extendía su misericordia a ellos. También leemos que Cristo no fue encarnándose muchas veces como lo estipula De la Ferrière, cuando habla de las diferentes apariciones de Hiram Abiff, entre las que incluye con increíble osadía también a Jesucristo. El Templo era la verídica morada de Dios antes de Cristo, no era un lugar astral donde se fueran los muertos.

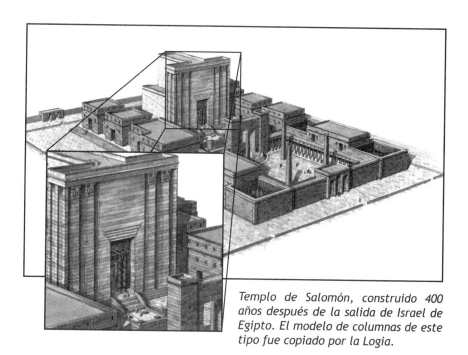

Templo de Salomón, construido 400 años después de la salida de Israel de Egipto. El modelo de columnas de este tipo fue copiado por la Logia.

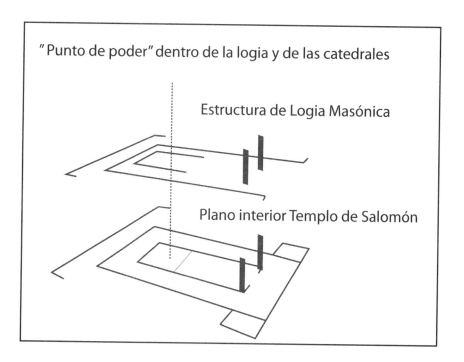

"A todos nos es dado morir una vez y después de esto el juicio"
Hebreos 1:27

Considero de extrema importancia resaltar esto ya que una de las cosas que más se manejan en los medios iniciáticos, incluido el de los masones, es la reencarnación. (Ver apéndice 1, al final del libro).

La logia masónica es diferente físicamente al antiguo templo hebreo. La palabra logia significa Universo y está dispuesta en forma análoga al espacio sideral. Su forma es rectangular, y se caracteriza por dos columnas bronceadas llamadas también "Jaquín" y "Boaz" que, por lo general, se encuentran a tres pasos de la puerta de entrada. Cada una está coronada por un grupo de granadas y una esfera, una con el globo terráqueo, y la otra con el plano del universo. En medio de éstas se encuentra el Ara o altar, sobre el cual descansa la Biblia y los símbolos masónicos del compás y la escuadra, conocidos como las tres "Grandes Luces de la Masonería". Alrededor del Ara, formando un triángulo rectángulo, se encuentran tres candelabros con un cirio cada uno, llamados las "Tres Luces Menores".

Pretenden ser una alegoría al Sol, la Luna y al Maestro, (al que numerosos tratadistas han señalado como tal, a Hiram Abiff, primer Maestro de la inmortalidad masónica). El suelo donde se encuentra el Ara está revestido de cuadros blancos y negros, a manera de un tablero de ajedrez, que simbolizan la dualidad de la vida. Suspendidos del techo, exactamente sobre el Ara, está la estrella flamígera y un triángulo que contiene a su vez la escuadra el compás y una letra "G" en el centro; ésta simboliza al Gran Geometrista, o "Gran Arcano", constructor del universo. A lo largo de las paredes hay sillas que corresponden, según el punto cardinal en el que se encuentren, a los diferentes grados del conocimiento. El techo está pintado de azul donde, en algunos casos están dibujados los signos del zodíaco. Alrededor de todo el plafón hay una cadena hecha de eslabones de cuerda que simbolizan la unidad de los masones alrededor del mundo.

En el salón principal hay una puerta que conduce al cuarto de reflexiones, que está pintado de negro con dibujos de cráneos, huesos, esqueletos, y alumbrado con una lámpara sepulcral. Hay una mesa, también pintada de negro, sobre la cual se pone un vaso con agua y otro con sal, un pedazo de pan negro y papel para escribir. Hay un ataúd al fondo con un esqueleto en su interior. Aquí es donde se meditan los trabajos y es en este sarcófago donde entra el aspirante a Maestro en la ceremonia de tercer grado con el ritual de la muerte iniciática.

En una logia hay varios personajes. El más importante es el Venerable Maestro, que representa al Sol; el Orador, a Mercurio; El Secretario, a Venus; El Tesorero, a Marte; El Maestro de ceremonias, a la Luna. Al que ocupa este último nombramiento, se le ve siempre caminando simulando una órbita dentro de la logia con un báculo en la mano. Vemos también otros puestos importantes, como los Vigilantes, que representan a Urano y a Neptuno, y el Primer Experto a Saturno; los más altos grados de la Masonería representan a las nebulosas.

Estructura interna de logia masónica. Se observan las 2 columnas a la entrada, el cielo azul entre otros detalles.

Diseño de un salón masónico.

Es posible también encontrar símbolos masónicos en algunos iglesias católicas del mundo.

Ahora bien, si tanto un templo como el otro son tan diferentes, surge la pregunta: ¿De dónde salió este modelo?

Veamos pues, a este respecto, la explicación del Venerable Maestro Grado 33 C.W. Leadbeater[41]:

"Cuando en la vida actual me iniciaron en la Masonería, me sorprendí viva y gozosamente al ver por primera vez la logia, pues me era familiar su disposición la cual era idéntica a la que yo había conocido seis mil años antes en los misterios egipcios... Los símbolos son significativos y característicos con peculiar combinación; y sin embargo todo ello perteneció al antiguo Egipto en donde lo conocí cumplidamente".

"Casi todas las ceremonias subsisten invariadas, son sólo leves diferencias de pormenor. Conocedor de estos hechos de mi personal experiencia, procedí a buscar en el plano físico pruebas que los corroborasen en los libros que cayeran en mis manos y que fueron más de los que esperaba...Se han tomado algunas ilustraciones interesantes de las pinturas murales del antiguo Egipto y de las viñetas de varios papiros y principalmente del Libro de los Muertos del que hay varias ediciones revisadas".

De estos datos resulta evidente que en Egipto el templo tenía la forma de doble cuadrado, en cuyo centro había tres cubos sobrepuestos en disposición de altar sobre el cual se colocaban los libros de las Escrituras Sagradas; por supuesto, no las mismas que las cristianas, que no se habían escrito todavía.

"Los cubos representan los tres aspectos o personas de la trinidad: Osiris, Isis y Horus, según se infiere de los signos en ellos grabados..."

---

41 Leadbeater, C.W: "*La Vida Oculta en la Masonería*", Berbera Editores, 2005, pp. 14-20.

"En la entrada del templo había dos columnas y sobre ellas cuadros que representaban la tierra y el cielo. Una columna lleva el nombre "En fortaleza" y el nombre de la otra quiere decir "Establecer". Este pórtico simbolizaba el camino conducente al mundo superior de Amenta, (especie de cielo) donde el alma se fundía con el inmortal espíritu y quedaba así establecida para siempre, por lo que era el pórtico el símbolo de la estabilidad. En la entrada de la logia había siempre dos guardas armados con cuchillos. Al guardián exterior se le llamaba el Vigilante y al interior el Heraldo".

Arriba: Papiro del "Libro de los Muertos", que describe rituales similares a los de la Masonería.

Abajo: El cuadrado es un símbolo común en la Masonería. Es la suma de 2 triángulos, simbología propia de la civilización egipcia.

Las dos columnas se ubican a la entrada del salón de la logia.

"Al Neófito se le despojaba de la mayor parte de su vestimenta... y se le conducía a la puerta del templo, donde se le preguntaba quién era. Respondía que era "Shu", el "suplicante" que llegaba ciego en busca de luz".

Veamos el significado y propósito de la logia según continúa la descripción de Leadbeater[42]:

"Las dos columnas simbolizan la dualidad de todo lo manifiesto y nos recuerdan nuestro permanente deber de unir los contrarios y encontrar el equilibrio entre la vida y la muerte y entre la construcción y la destrucción. Es ahí donde recordamos aquel "segundo nacimiento" que se nos otorgó en forma virtual y que debemos hacer efectivo en el curso de nuestra carrera. Es también entre las dos columnas donde saludamos a las tres luces de nuestro taller y expresamos simbólicamente que estamos dispuestos a dar la vida antes de traicionar nuestros ideales supremos. Cuando vemos las tres luces sobre el Ara (Altar) nos evocan la trinidad de la esencia, la sustancia y la forma; del espíritu del alma y del

---

42 Ibíd.

cuerpo. Allí están presentes el libro, (la Biblia), La escuadra y el compás. El libro Sagrado de la ley, símbolo viviente de la tradición, que nos enseña primero a leer y finalmente a escribir en el Libro de la Vida; la escuadra que nos señala la tierra y la materia y nos muestra la rectitud; y el compás que nos pone en contacto con el cielo y con el espíritu y nos señala la posibilidad de lo ilimitado de la inmortalidad y de lo eterno.

"El Ara es el centro de nuestro templo que nos evoca el centro del Ser y el corazón del hombre; el corazón pensante donde se aloja la fuerza sutil del intelecto puro".

Como podemos ver, con toda claridad estas columnas, que representan el dualismo, no tienen nada que ver con los principios del Dios de la Biblia. Lavagnini dice al respecto de estas: "Metafísicamente, representan los dos aspectos masculino y femenino de la divinidad, que como Padre y Madre celestes, como dioses y diosas se encuentran prácticamente en todas las religiones".

Incluir a Dios en el dualismo es una teoría tan falsa que cae por si misma. Una mente dualista busca el gran todo que conforme el universo, que es Dios. Dios es el creador, el eterno, el todopoderoso.

¿Qué hay comparable a Él para que pueda haber un dualismo divino?

Sería demasiado pueril pensar que satanás, que es tan sólo una criatura caída, aunque con grandes pretensiones, pueda ser equivalente, aunque opuesto, al Eterno Dios. Es como comparar una mosca con el mar y pensar que son opuestos. Buscar por tanto un equilibrio entre la vida que la representa Dios y la muerte que la representa Lucifer, resulta un disparate tan ilógico como el ejemplo anterior y, sin embargo, la gran mayoría del mundo cree que se puede vivir en esta zona gris, entre el bien y el mal, en un equilibrio imposible y absurdo, sin ninguna consecuencia y creyendo que Dios está ahí.

Quiero que vea conmigo esta contradicción que existe en el dualismo en un versículo extraído del "Kybalión" uno de los libros más importantes de la filosofía Hermética:

"Todo es doble; todo tiene dos polos; todo su par de opuestos; los semejantes y los antagónicos son lo mismo; los opuestos son idénticos en naturaleza, pero diferentes en grado; las verdades se tocan; todas las verdades son semi-verdades; todas las paradojas pueden reconciliarse".

Lo que quiere decir esta explicación del dualismo que acabamos de leer, es que Dios y satanás son iguales y que la naturaleza santa del Todopoderoso es igual a la maléfica naturaleza caída de satanás. Que Dios no es Dios absoluto y que su Verdad es tan sólo una verdad a medias y que finalmente Dios y satanás están reconciliados. Una sola cosa puedo decir a este respecto y es que el único que pudo inspirar semejante pensamiento en Hermes Trimegisto, es el mismo Lucifer.

Volviendo al análisis de la logia, vemos que de la misma manera que el iniciado egipcio, el "suplicante", se acercaba al templo, el aspirante a Aprendiz en la Masonería tiene también que confesar que es un profano, sujeto a las tinieblas y en total estado de ceguera, y que viene a recibir la luz de la Masonería. En esta ceremonia el Venerable Maestro le dice al profano que se acerca: "Profano el hombre en el mundo rodeado de vicios, pasiones, busca la ventura por todas partes y no la encuentra en ninguna. Desea conocer la causa y ofuscado de sus sentimientos, solo distingue obscuridad y tinieblas. El genio del mal lo hace instrumento de discordia y desgracias". Y luego, más adelante, en esta misma liturgia de recepción, le dice el Venerable: "Queréis salir de este estado, lo pedís a nuestra asociación, y ofrecéis vuestro corazón y vuestro brazo al que os instruya..."

Aspirante a masón, vendado en la ceremonia de iniciación. Para entrar en la logia es necesario reconocer que el aspirante llega en tinieblas y verá la luz sólo a través de esta organización.

Y, al igual que en la ceremonia egipcia, el iniciado tiene que entrar a la logia en un estado de semi-desnudez.

Todo recién iniciado, debe reconocer que está llegando en tinieblas y que sólo recibirá su luz de la Masonería, negando de esta manera su fe.

El concepto de la logia es, al igual que en el antiguo Egipto, un lugar sagrado en estado edénico, lejos de lo profano; un lugar igual a donde van los muertos y en el cual el espíritu va evolucionando de un estado astral a otro superior.

Esto anula lógicamente todo el fundamento Cristo céntrico que dice que a todos nos es dado morir una vez y después de esto el juicio, y que hay resurrección de vida y hay resurrección para condenación (Juan 5:29). Cualquier persona que pretenda estar en el camino de Cristo que confiese ante la Masonería que llega en estado de tinieblas ha negado la luz de Cristo como verdadera y única luz del mundo para cederle el lugar al Gran Arquitecto del Universo (del que hemos ido demostrando a lo largo de este libro su verdadera identidad).

Jesús dijo:

"Ningún siervo puede servir a dos señores, porque o aborrecerá al uno y amará al otro; o se allegará al uno y menospreciará al otro".
Lucas 16:13

No se puede ser de Cristo y ser Masón. Ya hemos visto cómo se van separando cada vez más los propósitos entre el verdadero Templo de Salomón y la logia masónica. Continuemos ahora con la narración que supuestamente Leadbeater[43] vivió hace seis mil años en el antiguo Egipto.

"Según dice el "Libro de los Muertos", si el neófito violaba su juramento, se le cortaba el cuello y se le arrancaba el corazón. El papiro de Nesi Amsu menciona otro grado en el

---

43 Ibíd.

que se descuartizaba el cuerpo y se reducía a cenizas, las que se esparcían a los cuatro vientos sobre la superficie de las aguas".

"En el templo de Khnumu, en la isla de Elefantina, por frente de Asuán, hay un bajo relieve con dos figuras: la del Faraón y la de un sacerdote con la cabeza de Thot, en la vigorosa actitud sugestiva de una iniciación..."

En la logia brillaba la estrella flamígera, pero era de ocho puntas en vez de seis o cinco. Se le llamaba "Estrella del alba" o "Estrella de la mañana" y era el símbolo de la resurrección de Horus (figura del hijo en la trinidad egipcia). La escuadra masónica era muy bien conocida y se le llamaba neka. Se la encuentra en muchos templos y también en la Gran Pirámide. Dícese que se empleaba para escuadrar piedras y también simbólicamente para escuadrar la conducta, lo cual se acomoda a la moderna interpretación. Construir con la escuadra equivalía a construir según las enseñanzas del antiguo Egipto. En la sala egipcia de juicio, se ve a Osiris sentado sobre una escuadra mientras juzga a los muertos. Así la escuadra vino a simbolizar el fundamento de la eterna ley.

El libro de los muertos, como impropiamente suele llamársele, es parte de un manual destinado a servir como una especie de guía en el MUNDO ASTRAL, con varias instrucciones respecto a cómo habían de conducirse los difuntos y los iniciados en las regiones inferiores de aquel otro mundo... La mente de los egipcios parece que actuó muy formal y ordenadamente, pues tabulaban toda concebible descripción de las entidades, que un difunto tuviera posibilidad de encontrarse, y disponían cuidadosamente el hechizo o palabra de poder que consideraban más eficaz para vencer a las entidades hostiles; pero sin darse cuenta de que su propia voluntad efectuaba la obra, atribuían el éxito a alguna especie de magia.

En un principio se mantuvo secreto "El Libro de los Muertos"; pero posteriormente se copiaron sus papiros,

Durante la época del Imperio Nuevo se impuso la costumbre de depositar en el sarcófago de los difuntos el llamado "Libro de los Muertos"(recopilación de fórmulas mágicas para ayudar a superar los peligros que acechaban a los difuntos en su viaje hacia el mundo de Osiris). De este tipo de rituales nace la creencia en la reencarnación, usada en la Nueva Era y en la Masonería.

En esta imagen se aprecia la dualidad del iniciado en los rituales de Egipto. Se observa que su cuerpo tiene unas sombras en alusión a la búsqueda de la vida en el más allá.

algunos capítulos para colocarlos en la tumba del difunto. Dice uno de los pasajes: "Este libro es el misterio supremo. Que nadie pase por él los ojos, porque sería abominación. Se llama "El Libro del Dueño de la Casa Secreta".

Esto mismo asevera Leadbeater[44] más adelante en su libro "La vida oculta de la Masonería" cuando se refiere a los trabajos de la Orden:

"El trabajo es la preparación para la muerte y para lo que

---

[44] Leadbeater, C.W: *"La Vida Oculta en la Masonería"*, Berbera Editores, 2005, p. 27.

sigue. Se suponía que las dos columnas "Jaquín" y "Boaz" se alzaban en la entrada del otro mundo y las diversas pruebas que el neófito pasaba, simbolizaban las que podían sobrevenirle cuando pasara del mundo físico a la inmediata etapa de la vida".

Como ya vimos en la Biblia, en Levítico 20:27 dice:

"El hombre o la mujer que evocare espíritu de muertos o de adivinación, han de ser muertos... su sangre será sobre ellos".

En la Masonería vemos también el uso de estas palabras de poder, que cambian según el grado. Más adelante, veremos la cantidad de interacción de espíritus de muertos y espíritus infernales que entran en acción durante las iniciaciones. El Aprendiz, sin conciencia ni conocimiento de este mundo invisible, lo recibe como algo simbólico y sin trascendencia, sobre todo cuando le dicen que es una forma de identificarse como masón. Encontramos esta misma amenaza que se usaba en Egipto para castigar al que traicionaba las verdades secretas, en la ceremonia del primer grado. En ésta el Venerable Maestro le dice al solicitante: "Dices que nada ves y que sentistes una punta sobre el corazón, ¡Era un espada! ¡Dios os libre de que penetre en vuestro pecho!

Era el castigo que se aplicaba y que debía imponerse a los que se vendieran a los tiranos, mas para nosotros Masones Libres es un símbolo como lo que os ha pasado y lo que tenéis que pasar, y representa el torcedor eterno que deberá destrozar el alma, si faltáis a la Augusta Institución en la que pedís ingresar[45].

Nada que provenga de un Dios Santo y bueno, puede tener algún parecido con esta cláusula. Sólo una mente llena de hambre por el poder y el control puede esclavizar a sus miembros de esta forma. Son atados a las consecuencias de

---

45 Lavagnini, Aldo: Liturgia del grado de Aprendiz del Manual Masónico, Menphis p. 33.

algo que la mayoría no tiene la menor idea sobre dónde se está metiendo. Jesús dijo:

"Yo he venido para que tengan vida, y para que la tengan en abundancia.".   *Juan 10:10*

Y también:

"Así que, por cuanto los hijos participaron de carne y sangre, él también participó de lo mismo, para destruir por medio de la muerte al que tenía el imperio de la muerte, esto es el diablo, y librar a todos los que por el temor de la muerte estaban toda la vida sujetos servidumbre".   *Hebreos 2:14-15*

Volviendo a la descripción egipcia de las logias según Leadbeater, quiero aclarar que, cuando en los escritos iniciáticos encontramos el término resurrección no se refiere a la enseñanza cristiana de la resurrección de los muertos ya que, por el contrario, ellos creen en la reencarnación. Cuando se usa este término se está refiriendo a las deidades o maestros cósmicos que nunca mueren, sino que se encarnan en diferentes cuerpos y su vida continúa eternamente.

Esto lo vimos al hablar del espíritu detrás de Hiram Abiff, así como en la resurrección de Horus, "Estrella de la mañana". También veremos claramente la teoría de la reencarnación en la siguiente descripción de Leadbeater en su supuesta experiencia en Egipto durante una vida anterior.

"Cuando moría Osiris, (Dios del Sol), intentaban en vano resucitarlo Isis y Nephis, pero Anubis lograba el mismo intento, Osiris volvía al mundo de los secretos de Amenta, lo cual parece sugerir que los secretos masónicos están estrechamente relacionados

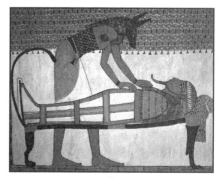

Resurrección de Osiris.

con el mundo inferior y la vida ultra terrena".

"Tales son algunas pruebas de las más concluyentes que he podido reunir y aún hay otras que no pueden publicarse. Me parece que todavía se encontrarían más pruebas; pero aún las aducidas, cuando se consideran en conjunto, desvanecen toda posibilidad de coincidencia. No cabe duda de que la fraternidad a que hoy tenemos el honor de pertenecer es la misma que yo conocí hace seis mil años y aún se le puede asignar más remota antigüedad".

Creo que ya está fuera de toda duda que el origen de las logias no es el mencionado Templo de Salomón, edificado para Jehová, el Dios Judío-Cristiano, ni los símbolos que se utilizan fueron inspirados por él, sino que es el templo levantado a Osiris, de quien Jehová manda derribar sus altares junto con los símbolos de Asera. Aunque algunos símbolos efectivamente hayan sido copiados del templo salomónico, su significado está basado en los ritos del antiguo Egipto y en las potencias que lo rigen.

Hoy en día los símbolos de estos templos egipcios, de estos diseños iniciaticos están plantados en miles de ciudades, edificios y monumentos.

La masonería ha ido invadiendo nuestra sociedad para que sus principios ocultos, sus dioses y demonios se muevan en medio de todos nosotros. Inapercibidos para los que desconocen los principios de la Orden, sus planes y diseños, y sin embargo activos hasta que los que tienen el verdadero poder del Altísimo Dios los invaliden, los denuncien y los erradiquen.

Algunos de los edificios con arquitectura masónica
más conocidos en todo el mundo.

*Puerta Masónica en la
entrada de Madrid, España.*

Edificio Televisión China.

*Centro Financiero en
Kuala Lumpur, Malasia.*

LA SIMBOLOGÍA MASÓNICA

La Biblia, libro sagrado de la Masonería dice:

"Mas si llegares a olvidarte de Jehová tu Dios y anduvieres en pos de dioses ajenos, y les sirvieres y a ellos te inclinares, yo lo afirmo hoy contra vosotros, que de cierto pereceréis. Como las naciones que Jehová destruirá delante de vosotros, así pereceréis, por cuanto no habéis atendido la voz de Jehová vuestro Dios".

Deuteronomio 8: 19 y 20

1.- EL PRINCIPIO DE LA SIMBOLOGÍA

Tanto en el conocimiento filosófico Hermético (esto es, el conocimiento oculto revelado por Hermes Trimesgisto, llamado "Mercurio tres veces grande") como en las escrituras Hebreo-Cristianas, el simbolismo juega un papel sumamente importante.

El símbolo no sólo representa un conocimiento espiritual sino también está relacionado con una entidad espiritual. No es una cosa irreal que podemos evocar sin ninguna consecuencia, sino que es un vehículo para conectar el mundo natural con el espiritual. Veamos cómo este mismo sentir queda manifestado en la Masonería.

En una de las ponencias de la "Conferencia Internacional Masónica México 82[46]" se dijo:

"Queremos hacer especial énfasis en el tema de los tres primeros grados denominados simbólicos o de San Juan, y llamar la atención acerca de la trascendental importancia del simbolismo que constituye los fundamentos mismos de toda nuestra institución. Esto no quiere decir que lo consideremos un fin en sí mismo. El símbolo es la representación sensible de una idea o de una fuerza que detrás de él se oculta, es el instrumento a través del cual las ideas se manifiestan y a la vez el más apropiado vehículo, que si lo conducimos apropiadamente, nos llevara precisamente a la identidad que detrás de él se oculta...El símbolo actúa en el interior de la conciencia de los que se abren a él y los Masones debemos ser guiados por esos signos misteriosos".

Un ejemplo real que quiero mencionar, es el bautismo en la fe cristiana, para aquellos que pertenecen simultáneamente a las religiones Cristo céntricas y a la Masonería y que piensan que el símbolo es algo irrelevante.

"Porque somos sepultados juntamente con él para muerte por el bautismo, a fin de que como Cristo resucitó de los muertos por la gloria del Padre, así también nosotros andemos en vida nueva... Sabiendo esto, que nuestro viejo hombre fue crucificado juntamente con él, para que el cuerpo del pecado sea destruido, a fin de que no sirvamos más al pecado. Porque el que ha muerto, ha sido justificado del pecado".   *Romanos 6:4-7*

---

46 Gonzalez, Federico y Trejo Fernando: Ponencia Presentada ante la Convención Internacional de México (1982)

En la fe Cristiana esto no es un mero símbolo sin consecuencias espirituales. Dios Padre destruye el poder del pecado sobre el creyente a través de este sacramento. A partir de este momento Dios lo considera justificado ante sus ojos, aunque sólo se hayan usado símbolos en la ceremonia.

Cuando se invoca el poder de la sangre de Jesucristo en la Comunión, para limpiar el pecado, aunque sólo se esté mencionando en forma simbólica, el alma es purificada y la conciencia deja de tener el peso del remordimiento. Si el cristiano que se ha alistado en las filas de la Masonería piensa que los símbolos son meramente alegóricos, entonces ¿qué valor le da a los que acabo de mencionar? Si en verdad éstos tienen poder, los otros también lo tienen.

Tanto Dios como satanás mueven su poder a través de los símbolos. En la Biblia podemos contar una gran cantidad de símbolos que tenían una acción real en las dimensiones celestiales. Por ejemplo, el aceite con el que se ungía a un rey o a un profeta, simbolizaba que el Espíritu de Dios venía sobre aquella persona. El símbolo era y es el punto de contacto para desatar el poder de Dios o también, en el caso contrario, de la entidad espiritual a quién el símbolo representa.

Podemos también ejemplificar todos los rituales de purificación que el sumo sacerdote tenía que llevar a cabo en los tiempos del Antiguo Testamento para poder entrar al Lugar Santísimo, que era el lugar donde físicamente se manifestaba la presencia de Dios. Si estos ritos no hubieran tenido un efecto real en el alma y el espíritu del Sumo Sacerdote, éste hubiera muerto al mismo instante de penetrar el velo del templo y estar ante El Arca del Testimonio. La simbología es, por tanto, una puerta con el mundo espiritual.

Es importante entender que cuando hablamos de mundo espiritual, únicamente existen dos terrenos a los que podemos penetrar. Uno es el del único Dios verdadero, al cual sólo se puede llegar a través de la puerta estrecha, la cual es

Jesucristo, y bajo las condiciones que Él estableció. El dijo:

"Entrad por la puerta estrecha; porque amplia es la puerta y espacioso es el camino que lleva a la perdición, y muchos son los que entran por ella; porque estrecho es el camino que lleva a la vida y pocos son los que la hallan".   Mateo 7:13 y 14

El otro terreno es el de Luzbel, quien trata por todos los medios (léase nombres, religiones, filosofías, espíritus o visiones) de atraer a la humanidad a su "LUZ BELLA". Esta, aunque en realidad la presenta hermosa, llena de poder y de bondad, no es más que una falsificación de la verdadera.

Veamos ahora la utilización de los símbolos en la Masonería y, sin necesidad de grandes explicaciones, el menos docto puede darse cuenta de sus implicaciones. En la iniciación del primer grado de Masón, éste tiene que hacer un recorrido a ciegas, emprendiendo tres diferentes viajes simbólicos. Durante el recorrido, va pasando por la representación de los diferentes planos del infierno. Es la interpretación del mito egipcio del viaje de los muertos. El alma corrupta va traspasando en el mundo astral, de un plano inferior a uno más elevado hasta encontrar la supuesta luz verdadera.

Al estar toda esta ceremonia planteada de forma simbólica, el iniciado piensa que esto es algo inofensivo y que no es más que una aventura, aunque terrorífica como lo vemos más adelante. Pero veamos lo que pasa en el ámbito espiritual y del cual el principiante no está consciente en ningún modo. C.W. Leadbeater[47], masón Grado 33, describe una parte de este ritual:

"Según el candidato se acerca al sitial del Segundo Vigilante llega al segundo portal, donde lo presentan a los elementales (espíritus) de la tierra y del agua, pertenecientes a la región a donde simbólicamente acaba de llegar, que puede considerarse constituida por los sub-planos sólido y

47 Leadbeater, C.W: *"La Vida Oculta en la Masonería"*, Berbera Editores, 2005, pp. 288.

líquido del mundo astral. Primero, se vuelve el candidato hacia el norte y hace una ofrenda apropiada a los elementales de la tierra y después se vuelve al sur para hacerlo con los del agua. No son estas entidades las mismas que intervinieron en la construcción del templo; pero están concretamente bajo su Jefe quien a su vez obedece al "Segundo Vigilante" como guardián del segundo portal. Dichos elementales, que son de la clase de espíritus de la naturaleza, rodean al candidato que les fue presentado, y ya lo reconocen de ahí en adelante. Después de esta ceremonia, si el candidato se ve en algún peligro supra físico o amenazado por una maligna influencia, podrá traer en su contorno una guardia de dichas entidades, a causa de la fraternidad que con ella acaba de establecer".

Como vemos, no se trata de una simple prueba de valor para ser aceptados en la orden, sino que hay una profunda involucración con espíritus con los que, sin saberlo, el Aprendiz ya ha hecho un pacto. Pero ¿quiénes son estos espíritus, y con que se ha aliado el inocente principiante?

En las culturas politeístas estos mismos espíritus elementales están representados por los dioses del sol, de la luna, de la tierra, etc. Si tuviéramos que definir estas deidades, serian espíritus con características especificas que ayudan a quienes los invocan haciéndoles diferentes favores y milagros. Sin embargo, ¿a quién sirven y quién es ese jefe que está atrás de ellos? Jehová el Dios de la Biblia habla, refiriéndose específicamente a este tipo de espíritus y a los que acuden a su ayuda haciéndoles ofrendas.

"Le despertaron a celos con los dioses ajenos; Lo provocaron a ira con abominaciones. Sacrificaron a los demonios y no a Dios; a dioses que no habían conocido..."   *Deuteronomio 32:16 y 17*

Aquí vemos que a estos espíritus Dios los llama directamente demonios y lo que parece ser una ceremonia aparentemente simbólica y sin consecuencias espirituales, es la puerta en la que satanás ha empezado a tejer la red de la que muchos no pueden ya escapar.

La Biblia confirma esto también con la prohibición radical de buscar cualquier tipo de ayuda en espíritus.

"No sea hallado en ti, quien haga pasar a su hijo o a su hija por el fuego, ni quien practique adivinación, ni agorero, ni sortílego, ni hechicero, ni quien consulte a los muertos, porque es abominación para Jehová cualquiera que hace estas cosas".
Deuteronomio 18:10-12

Todas estas prácticas están ligadas a esos supuestos espíritus ayudadores. Todos los maestros del conocimiento iniciático acuden a estos espíritus para llenarse de lo que ellos llaman "Las Fuerzas del Universo" y extraer de estos su poder espiritual.

Veamos un claro ejemplo en que un mismo símbolo tiene significados opuestos: En la Biblia Jesucristo es mencionado como "La Piedra Angular".

"He aquí pongo en Sion la principal piedra del ángulo, escogida y preciosa y el que creyere en Él no será avergonzado...." 1 Pedro 2:6

Este término dentro de las logias simboliza todo el pensamiento Hermético de la piedra filosofal y está representado por una piedra en bruto y sin tallar. "Un mismo símbolo representa dos personajes opuestos: o es Hermes o es Jesucristo".

Esta piedra, ante la cual el Masón se tiene que inclinar en su iniciación de segundo grado, tiene una inscripción grabada que dice "Jah-Bul-On" lo que simboliza una trilogía de los dioses: Jehová, Baal, y Osiris, a quien invocan en grados posteriores. La forma de invocación es por medio de la repetición en forma de salmodia de cada sílaba de este nombre a manera de "mantra", como se hace en el yoga, para llamar la presencia del Gran Arquitecto del Universo. Vuelvo a repetir que Jehová, el Dios de la Biblia, no se mezcla con ningún otro dios, ni reconoce a ningún otro dios como parte de su corte.

Ahora bien, veamos brevemente lo que significa esta piedra tan adulada por los masones. En la "Bibliotheque des Philosophes Chimiques", el alquimista francés Hortelano[48], en su explicación de la "Tabla Esmeralda" de Hermes, nos muestra con claridad esta interrelación con el mundo espiritual.

Hermes, el gran filósofo del antiguo Egipto, atribuía a esta piedra toda la sabiduría universal. La piedra era el símbolo de todo el cosmos; era también el origen y el fin de todas las cosas. Todo lo que el hombre es y su relación con el universo está también simbolizada por ésta.

Veamos ahora lo que dice Hortelano refiriéndose a la piedra filosofal:

"La parte inferior de la piedra es la tierra, que es la nodriza, el fermento, y la parte superior es el Cielo, el cual vivífica toda la piedra y la resucita". Y explica: "El cuerpo humano es el recipiente que recoge las emanaciones de los efluvios celestes, alusión sin duda al "Rocio Celeste" vivificador, el cual simboliza el descenso de las energías espirituales en el seno del hombre". El cuerpo del iniciado se va convirtiendo en un recipiente de espíritus de todo tipo. Sigue explicando Hortelano esta experiencia y dice: "En la iconografía alquímica es común representar el cuerpo inerte del alquimista yaciendo en una tumba o en el suelo simbolizando la muerte iniciática, el cual cobra vida (resucita) gracias a las 'gotas de lluvia' que sobre él descienden".

Es conocido en los medios ocultistas o iniciáticos, que es a través de esta transferencia de las energías espirituales al

---

48 http://www.geocities.com/symbolos/

interior del ser humano, como éste nace al conocimiento oculto. Este ritual se observa en la iniciación al tercer grado de la Masonería, aunque no se explica al iniciado las consecuencias espirituales a la que ésta le conduce. No es sino en grados superiores donde se aclara su implicación espiritual. Esta ceremonia, que aparentemente no es más que un símbolo, es el rito por el que se unen los masones a la luz iniciática, que no es sino el falso resplandor luciferino.

LA ACTIVACIÓN DEL PODER DE LOS SÍMBOLOS

EL PENTAGRAMA O ESTRELLA DE CINCO PUNTAS

Había mencionado anteriormente que el peligro de la simbología reside en que no es universal, ya que un mismo símbolo puede ser interpretado de distinta manera, según diferentes criterios. Por ejemplo, tenemos la estrella de cinco puntas o pentagrama, que es el símbolo por excelencia usado en el satanismo y en los círculos de alta magia. Es sabido en estos medios que el pentagrama, también conocido como "la cabra maldita", atrae la presencia de Lucifer y es una de las formas de invocación espiritista más poderosa que existe. Este mismo símbolo, al que sólo en los altos grados de la Masonería se le da su significado real; en los de Aprendiz se define y utiliza como el símbolo de perfección humana.

La pregunta es ¿qué se está moviendo tras las simples apariencias, y cuál es la intención oculta de manejar un mismo símbolo con dos significados tan opuestos? Para dar más luz, quiero que veamos un extracto del libro "La Vida Oculta en la Masonería" de Leadbeater[49]:

"Sin embargo, para nosotros tiene la estrella un significado simbólico y nos recuerda la estrella de la iniciación que aparece en señal de que el SEÑOR DEL MUNDO asiente y

49 Op.cit.

aprueba el ingreso de un nuevo candidato en la potente y sempiterna fraternidad".

Pues veamos quién es este Señor del Mundo según la Biblia. Jesucristo dice a sus discípulos:

"No hablaré mucho con vosotros; porque viene el PRÍNCIPE DE ESTE MUNDO, y él nada tiene en mi".......es decir, el diablo.   Juan 14:30

Analicemos parte de este mismo libro de Leadbeater[50]. Pero antes de entrar en él, tenga en cuenta la diferencia que hemos hecho entre el Dios de la Biblia y la energía impersonal del Gran Arquitecto del Universo. Analice la forma en que es usado el nombre de este Avatar tibetano que ellos llaman Jesús, que difiere del Jesucristo bíblico. El pentagrama es usado como forma de invocación del espíritu de Luzbel disfrazado de los "falsos Cristos". Escribe el autor:

"Hace algunos años, nuestro noble hermano Sir S. Subramania Iyer, de Madrás, me indicó que investigara un mantra (palabra de poder para entrar en el mundo espiritual en base a sus continuas repeticiones en voz alta) que proporcionado por el eminente ocultista del sur de la india, Swami T. Subba Rao, lo había usado durante largo tiempo".

"Yo examiné cuidadosamente el asunto y también usé después el mantra, porque en efecto era verdaderamente notable. Según supe se halla este mantra en los Upanishada Gopalatapani y Krishna y consta de cinco partes. Meditando deliberadamente sobre el mantra, resulta que cada sílaba traza una línea en tal posición que componen una estrella de cinco puntas (igual al pentagrama). Al repetir el mantra, las estrellas se van superponiendo hasta formar un tubo cuya sección trasversal es la estrella de cinco puntas, y el tubo sirve de canal conductor de la energía de Shir Krishna, quien es la misma entidad que el Señor Maitreya, el actual bodisatva o instructor del mundo, el excelso ser que se infundió como Cristo <u>en el cuerpo</u> de Jesús. Merced a esta energía que el mantra

50 Ibíd.

entraña, puede usarse con diversos propósitos, tales como para sanar enfermos, apartar a los elementales y otros beneficios".

Creo que queda claro que el pentagrama no es un símbolo inocuo que brilla sobre la Logia, sino un verdadero conductor espiritual para hacer contacto con el príncipe de las tinieblas. Y ¿por qué digo esto con tanta seguridad? Por lo que la misma Biblia (teóricamente la Luz divina de la Masonería) dice a este respecto. Quiero hacer énfasis en este punto para que también usted querido lector quede totalmente convencido y así pueda identificar con nitidez este enorme engaño del ángel de luz "Luzbel". Veamos lo que el mismo Jesucristo dice acerca de este supuesto espíritu crístico que habita al Señor Maitreya y a otros iluminados como Sai-Baba.   Jesús, hablando de los últimos tiempos, afirma:

"Entonces, si alguno os dijere: Mirad aquí está el Cristo, o mirad ahí está, no lo creáis. Porque como el relámpago que sale del oriente y se muestra hasta el occidente, así será la venida del hijo del hombre".   Mateo 24:23-27

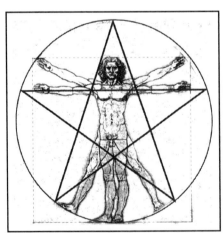

El Superhombre   La cabra Maldita

Izquieda: El superhombre es símbolo de perfección del ser humano, obviando todo vínculo con el Creador, Dios. Derecha: La estrella de 5 puntas es un símbolo masón que verifica la relación entre esta organización y satanás.

Si Jesucristo fuera realmente este excelso ser encarnado en el señor de Maitreya, jamás hubiera hablado estas palabras.

Quiero dar otro ejemplo de quién es este dios que viene por la invocación en el pentagrama para que sea notoria la ambigüedad que se maneja. Vayamos al libro de Leadbeater[51], que he venido citando, en su explicación de las ceremonias en el templo de Amón-Ra que es la suprema deidad egipcia también conocida como Osiris.

-"Tan pronto como el Venerable Maestro destapaba los vasos, levantaba los brazos hacia la estrella flamígera, y exclamaba:

-¡Oh! Señor, desciende.

...El líquido incoloro en la copa tomaba un intenso matiz rosa. El cambio de color se efectuaba evidentemente para simbolizar el descenso de la Vida divina, y una vez completado el cambio...después decía:

-El Señor se nos ha entregado. Demos gracias al Señor,después de todos se inclinaban ante el diciendo a una voz: - Tú eres Osiris".

Como ya hemos visto a través de este libro, ni es Jehová, ni es Jesucristo, ni es el Espíritu Santo el que desciende ante esta invocación sino el dios egipcio del sol. A este respecto la Biblia dice:

"¡Ay de los hijos que se apartan, dice Jehová, para tomar consejo y no de mi; para cobijarse con cubierta, y no de mi espíritu, añadiendo pecado a pecado!". "Que se apartan para descender a Egipto y no han preguntado de mi boca; para fortalecerse con la fuerza de Faraón y poner su esperanza en la sombra de Egipto. Pero la fuerza de Faraón se os cambiará en vergüenza y el amparo en la sombra del Egipto en confusión."   *Isaías 30:1-4*

51 Ibíd p.257.

Por más interpretaciones que se le quiera dar a este pentagrama, símbolo inequívoco del poder Luciferino, su esencia y la fuerza que está tras ella seguirá siendo la misma. Volteada hacia abajo es la cabra maldita o satanás como aparece en la portada de la biblia satánica, y en el emblema de la "Orden de la Estrella del Oriente", en el Tercer Grado del Rito de York. Vuelta hacia arriba simboliza al superhombre en su plenitud. Simboliza a aquel que ha llegado ya a un grado tal de desarrollo que ha dejado de necesitar de un redentor. El logro de este superhombre es la futura gran obra maestra de Satanás y dirige todos sus esfuerzos en formar este carácter que se convertirá en el distintivo de sus seguidores.

EL HEXAGRAMA O ESTRELLA DE SEIS PUNTAS

La mayoría de las personas identifican este símbolo con Israel y lo llaman la estrella de David. Tanto judíos como muchos cristianos se sienten orgullosos de él y lo usan en forma de dijes y en los logos de sus iglesias, y en la decoración de sus templos y sus casas.

Pero, ¿es realmente un símbolo diseñado por el Rey Hebreo? ¿O un símbolo que más bien maldice a Israel?

El nombre correcto de esta estrella entre los judíos se llama "sello de Salomón". Su origen viene de una religión llamada Bon Po, que trata con el aspecto oculto y mágico del Budismo. Su composición de dos triángulos encontrados representa la dualidad que vemos en todas las filosofías orientales. El triángulo que apunta hacia abajo, simboliza las fuerzas divinas que descienden. El que apunta hacia arriba, las fuerzas infernales que ascienden y se unen a las celestiales para conformar la "gran sabiduría del hombre". Es un símbolo análogo al Yin-Yang en el que también se pretende unir en un todo, al bien y al mal.

*Dólar americano
con hexagrama,
en el que se lee la
palabra M A S O N.*

*Pentagrama y hexagrama masónicos encontrados en iglesia de
Castleton, Derbyshire, Inglaterra.*

Este símbolo llegó a Israel a través de los sabios y viajeros del oriente. El hexagrama más antiguo encontrado en Israel se encuentra esculpido en el friso de la sinagoga de Capernaúm y curiosamente está al lado de un pentagrama.

En todo el friso se aprecian figuras grotescas de demonios, por lo que es claro que no fue hecho por instrucción del Dios de Israel.

El hexagrama fue adoptado por los ocultistas paganos que vivían en Israel en el tiempo del Rey Salomón, quienes lo usaban para darle un simbolismo gráfico a la gran sabiduría de este rey. A partir de ahí los cabalistas judíos descubrieron su gran poder esotérico y la empezaron a usar.

Friso de Capernaum, el hexagrama más antiguo encontrado en Israel. Aquí lo vemos acompañado del pentagrama símbolo inequívoco de satanás.

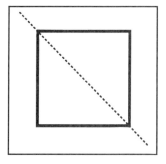

La "Cábala" es la rama oculta del judaísmo y los más altos satanistas le dan la reputación de ser la magia más poderosa del mundo. Entre ellos el hexagrama fue siempre usado como un símbolo de invocación de espíritus de muy alto nivel.

El triángulo es uno de los símbolos más usados por satanás. Geométricamente hablando el triangulo es la división transversal de un cuadrado.

El Dios de la Biblia, quien es meticuloso y exacto en todos sus diseños, jamás usa la figura triangular. En todos los planos del Tabernáculo y del Templo siempre vemos la figura del cuadrado y del rectángulo. El triángulo es por ley lo que se atraviesa para partir el diseño de Dios.

Unos de los más altos "Illuminatis" desde la edad media ha sido la Familia Rothschild. Ellos, de origen judío y altamente cabalístico, pusieron la estrella en su escudo de armas y sus súbditos eran obligados a usarla para honrar a su señor.

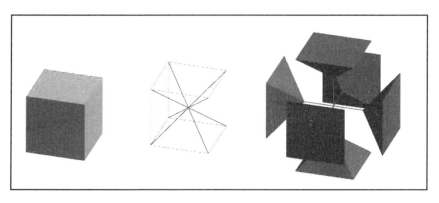

División del cubo, forma 6 pirámides de igual tamaño.

Antes de la segunda guerra mundial los judíos no se identificaban con este símbolo. Fue Hitler quién se los impuso como una forma de estigmatizarlos. Hitler era un satanista de alto nivel, entrenado por la religión Bon Po, según narran sus biógrafos. Fue de ahí que él trajo los símbolos de la esvástica y del hexagrama. El sabía que era un símbolo que declaraba heréticamente la unión de Dios con satanás y como un desprecio y un insulto a la fe judía los marcó con este símbolo.

6-6-6

6 Puntas
6 Ángulos Internos
6 Ángulos Externos

Después de la guerra, los judíos adoptaron el hexagrama no cómo el símbolo del rey David, sino como la representación de su encarcelamiento y muerte. Israel decidió recordar por siempre su dolor y la infamia hecha contra ellos en el holocausto. En 1947, impulsados por la familia Rothschild, los judíos escogieron el hexagrama como escudo nacional para su bandera. Por un solo voto ganó este diseño sobre el de la menora (candelabro) con los dos olivos. Ellos dijeron: "Queremos, a través de este símbolo, que el mundo conozca nuestro profundo dolor".

El Hexagrama es un símbolo que ata a Israel a la muerte y a la prisión, al rencor y al dolor. A través de esta estrella Israel está perpetuando el diseño de muerte y de genocidio que satanás diseñó para él por medio de Hitler.

Tanto para los Cabalistas como para Hitler, el hexagrama representaba el número de La Bestia: 666. En el libro "La estrella de seis puntas", del Dr. O.J. Graham[52], dice:

"La suprema naturaleza maligna contenida en el doble

52 Graham, O.J: "Six-Pointed Star: Its Origin and Usage",The Free Press 777, 2001, pp. 130.

triángulo llamado "Sello de Salomón" o "Magen David" (Escudo de David) se comprueba con el hecho de que el número de la Bestia, el 666, está contenido en ella. Note que hay seis triángulos incorporados en la parte externa de la estrella, que son seis las puntas y seis las líneas que componen los dos triángulos".

La Biblia habla de esta estrella como algo abominable a Dios:

"Mas llevabais el tabernáculo de vuestro Moloc y Quiún, ídolos vuestros, la estrella de vuestros dioses que os hicisteis". Amós 5:26

"Antes, trajisteis el tabernáculo de Moloc, y la estrella de vuestro dios Renfán, Figuras que os hicisteis para adorarlas. Os transportaré, pues, más allá de Babilonia." Hechos 7:43

Este no es un símbolo de bendición para identificarse en amor con el pueblo Judío. El perpetuarlo los está dañando tanto a ellos como a los que lo usan.

¿POR QUÉ SATANÁS USA SÍMBOLOS DE RECTITUD Y ATRIBUTOS DIVINOS?

Los símbolos masónicos son muchos, y constituyen su lenguaje oculto. Están entretejidos en diversas formas de arte, vitrales, tapices, muebles, edificios completos, pisos y techos.

En monumentos, banderas de muchos países, en la heráldica y diseños en el dinero. Por todos lados la Masonería ha ido dejando sus trazos, marcando territorios, estableciendo espíritus gobernadores. Sellos innegables que establecen la doctrina luciferina por doquier.

Al estudiar el principio de lo falso y lo verdadero vimos que lo falso es lo más parecido a la verdad, sin serlo. Si satanás sólo usara su aspecto terrorífico, homicida y ladrón para atraer a sus seguidores, muy pocas personas se alistarían en sus filas; pero como un buen engañador se disfraza.

El es el padre de toda mentira y desde el principio de la caída le ha hecho creer al hombre que puede ser como un dios. Pero el concepto de dios, en la mente humana es alguien bueno, recto, elevado, celestial, perfecto, de buenas costumbres y buenas intenciones.

La pregunta es: ¿Podrá satanás producir algo así? ¿Está realmente el diablo interesado en el bien, el amor, la sabiduría y el bienestar del hombre? O, como dice la Palabra de Dios, refiriéndose al diablo:

"El ladrón viene para matar, robar y destruir"   *Juan 10:10*

Si él no está buscando nada bueno, ¿por qué usa símbolos que implican al observador superficial cosas benéficas?

Considerando que es un ladrón, un homicida y un destructor, su estrategia es subyugar el concepto que el símbolo representa, maldecirlo bajo sus pactos y sus demonios, para que jamás se manifieste.

Permítame explicarle lo que quiero decir con esto: Tomemos el ejemplo de los símbolos masónicos más conocidos:

La escuadra, el compás y la "G": La primera, representa la rectitud; la segunda, la fuerza creativa y la inteligencia calculadora; y la "G", al Gran Arquitecto del Universo.

Bajo este símbolo el Diablo o Gran Arquitecto del Universo le roba al hombre su rectitud y su poder creador, lo limita a una mente calculadora, dominada por la influencia de espíritus demoniacos.

Otro ejemplo son los símbolos y palabras con que los masones diseñaron la mayoría de las banderas y escudos del mundo.

Bandera de Brasil

Aquí vemos los símbolos del círculo dentro del cuadrado con la frase "Orden y Progreso".

¿Qué es lo que quiere controlar el Diablo en Brasil? El orden y el Progreso. El resultado: tremendas oposiciones en estas dos ramas.

El círculo y el cuadrado son de los símbolos más usados por la masonería y otra forma de representar la escuadra (haciendo el cuadrado) y el compás (trazando el círculo).

Vemos en el Euro esta misma composición llamada entre los masones "La cuadratura del Círculo".

Euro Alemán

Euro Italiano

LOS SÍMBOLOS MASÓNICOS QUE VEMOS ENTRETEJIDOS EN TODOS SUS DISEÑOS.

Analicemos el significado que los masones le dan a los símbolos, para descifrar lo que ha sido pactado bajo el diablo y poderlo deshacer.

Águila

Águila Poder y libertad: Figura emblemática en todos los grados de la masonería conocidos con el nombre de "Filósofos o Altos Grados", como símbolo de la audacia, de la investigación y del genio.

A través de este símbolo el diablo trae corrupción, abuso de poder y promociona como forma de libertad lo que para Dios es abominación.

Ancla

Ancla: Esperanza: El diablo trae temor y desesperanza.

Antorcha: Fuego, purificación e iluminación. Trae corrupción y cautividad mental.

Antorcha

Búho: Sabiduría oculta. Trae presencia de espíritus de ocultismo.

Espiga de trigo: Nacimiento y muerte. Controla los nacimientos y la forma de morir.

Búho

Lazo místico: Los masones se consideran unidos entre sí por un vínculo sagrado e inviolable de carácter fraternal. Por ello se llaman "Hermanos del Lazo Místico". Alrededor de todas las logias figura, pintada o esculpida, una cadena como símbolo de la unión de todos los masones que se extienden por toda la redondez del globo. Trae ligaduras de oscuridad y muerte.

Caduceo: Vara de mensajero. Atributo de Hermes. La masonería lo emplea como uno de los símbolos de la ciencia y el progreso. Destruye la salud y obstaculiza el progreso.

Caduceo

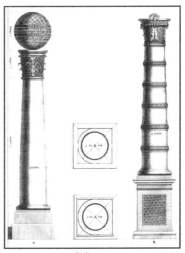

Columna: Símbolo de la unión entre el cielo y la tierra, de firmeza y de la fuerza sustentadora. La columna completa, con base y capital, está emparentada con el contenido simbólico del árbol de la vida. Decorar las columnas: se dice del acto en que los asistentes a los talleres ocupen sus respectivos puestos en los trabajos o reuniones masónicas. Así cuando los Vigilantes se refieren a los obreros que toman

Columna

asiento en los sitiales que están a ambos lados de la Logia, dicen "Los hermanos que decoran la columna del Norte".

Salón decorado con la simbología masónica. Se ven las columnas, las tres luces y el lazo místico. Las columnas, unen la tierra con las regiones espirituales de gobierno satánico, también conocido como "segundo cielo".

Compás: Fuerza creativa y actividad intelectual calculadora. Crea una prisión, atrapa dentro del círculo.

Compás

Copa, Cáliz: Símbolo frecuente de plenitud rebosante. Trae miseria.

Corona: Símbolo ennoblecedor. Emblema de la Majestad, Poder, Martirio, Gloria y Triunfo, figura de los ritos masónicos. Establece en gobierno a los poderes de las tinieblas.

Copa

Delfín: Emblema de la velocidad. Trae torpeza y obstáculos.

Corona

Diana: Luminoso y perfecto. Establece la figura femenina de satanás.

Dionisios: Baco, la vid. Trae alcoholismo.

Diana

Escuadra: Símbolo de la rectitud masónica. Trae iniquidad y mentira.

Esfinge: Emblema de los trabajos masónicos, que deben ser secretos y ocultos.

Espada: Honor, conciencia y protección "aceros". Establece las huestes de satanás.

Escuadra

Estrella: Perfección. Es el sello que establece la legalidad de los diseños demoníacos.

Globo terráqueo: Emblema de la regularidad y la sabiduría. Produce ataduras terrenales para no ver la sabiduría celestial.

Espada

Granadas: Fraternidad unida. Un fruto que no se pudre. La explicación simbólica a esta enseñanza es que dentro de los masones puede haber un mal grano.

Globo

Hermes: Agilidad, rapidez y actividad. Trae obstáculos y tapa la fluidez de las bendiciones de Dios.

León: Emblema de arte hermético.

Libro: Símbolo de sabiduría. Establece la sabiduría humana sobre la divina.

Hermes

Mandala

Mandala: Tiene como objeto coadyuvar, mediante la meditación, a la unión con lo divino. Trae la unión entre lo oculto de satanás con la tierra.

Maza

Maza (mallete): Nombre que se da al martillo que es símbolo de autoridad y corresponde al Venerable y a los dos Vigilantes, que por medio de sus golpes dirigen los trabajos de los hermanos. Corrompe la Autoridad.

Regla: Emblema de perfección. Trae iniquidad y mentira.

Rosa

Rosa: Símbolo de discreción, de la inocencia y de la virtud, también es símbolo de unión. Trae perversión y división.

Rueda

Rueda: Progreso. Retarda el progreso y trae el caos.

CÓDIGOS CABALÍSTICOS

Los masones también utilizan palabras o letras para crear códigos cabalísticos. Las intercalan cada determinado número de palabras o formando una figura geométrica en un documento, para de ahí extraer un submensaje que sólo ellos puedan detectar.

Isaac	יצחק	Zohar	זוהר
Luria	לוריא	Kabbalah	קבלה

Técnicas Cabalísticas en la Torah

ALGUNOS SÍMBOLOS MASÓNICOS EN MEDIO DE LA SOCIEDAD

Diversos símbolos satánicos usados en la masonería.

Flor de Liz, símbolo de Ishatar.

Nike es Mercurio, dios de la velocidad y Diosa de la Victoria. El símbolo es un anillo de saturno.

Flor de Liz

Nike

Tarjeta Postal Masónica Conmemorativa del arrivo del hombre a la luna (1994).

Moneda Masónica en Conmemoración de la llegada del hombre a la luna.

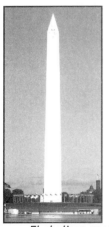

El obelisco es un símbolo del dios del sol, de la energía masculina y del falo.

Vestimenta típica usada en las logias.

Anillo masónico.

El Mandil es parte de la vestimenta de los miembros de las logias, usados desde hace siglos.

Diversos símbolos usados dentro de la logia.

Figuras de Cristo con delantal masónico encontradas en iglesias católicas en Latinoamérica.

Benito Juárez con delantal masónico.   Vitral masónico en iglesia bautista.

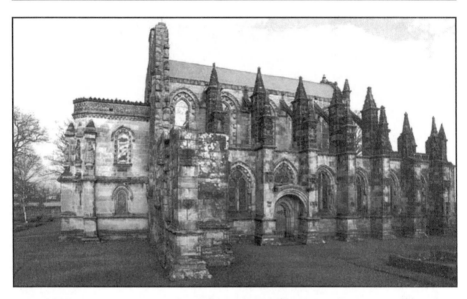

La Capilla Rosslyn (Rosslyn Chapel) es una iglesia del siglo XV, ubicada en el pueblo de Roslin, Midlothian, Escocia. La capilla fue diseñada por Guillermo Saintclair, el 1º Conde de Caithness. Sobre la Capilla se han tejido una serie de leyendas o mitos que dicen que, por ejemplo, es atravesada por el Meridiano de París. Apareció en El Código da Vinci como clave de la búsqueda del Santo Grial. También se dice que es un portal hacia otra dimensión. Esta capilla es usada como modelo para la construcción de las logias masones en todo el mundo.

Izquierda: Papa Pablo VI haciendo el saludo masónico.

Derecha: Papa Benedicto XVI con el ex Primer Ministro de Inglaterra, Tony Blair, realizando el saludo masónico.

Los Saludos Masónicos:

La posición de los dedos de las manos es estratégico a la hora de identificarlo. Líderes políticos y religiosos utilizan este saludo.

Derecha: Note la posición de los dedos en el saludo Normal.

Abajo: La posición de los dedos varía en los distintos saludos masónicos según los grados.

Saludo Normal

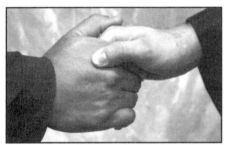

Saludo Masónico

Saludo Masónico

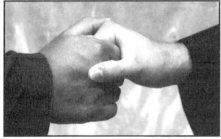

Saludo Masónico

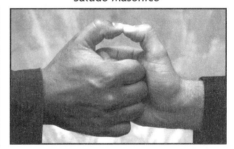

Saludo Masónico

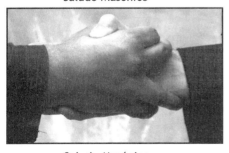

Saludo Masónico

Derecha: Nicolas Sarkozy, Presidente de Francia y Muammar El Gaddaffi, Presidente de Libia.

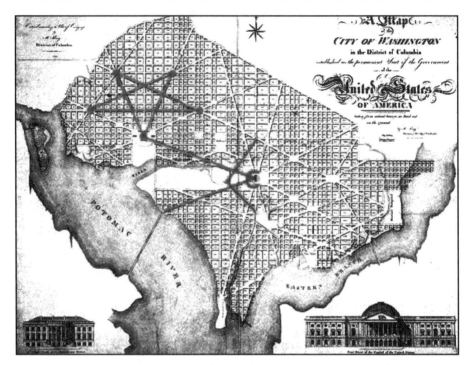

Diseño de Washington D.C., Estados Unidos. Esta ciudad es conocida por una serie de edificios y monumentos de origen masón que forman una estrella de cinco puntas.

Vista Aérea del Pentágono, donde es evidente la estrella de 5 puntas.

LOS JURAMENTOS MASÓNICOS

Una de las cosas que ponen en evidencia a "la mente directora" de la Masonería, son los juramentos tan terroríficos a los que los masones tienen que someterse en cada grado que van avanzando.

Jesucristo dijo en el famoso sermón del monte:

"Pero yo os digo: no juréis de ninguna manera; ni por el cielo, porque es el trono de Dios; ni por la tierra porque es el estrado de sus pies; ni por Jerusalén, porque es la ciudad del gran Rey. Ni por tu cabeza jurarás, porque no puedes hacer blanco o negro un solo cabello. Pero sea vuestro hablar: Si, sí; no, no, porque lo que es más que esto de mal procede". Mateo 5:34-37

Cuando alguien se interesa por entrar a la Masonería, o viceversa cuando la Masonería se interesa por un candidato importante, jamás es informado a qué está entrando. Se le endulza el pensamiento con frases como:

"Es una asociación voluntaria de hombres libres. Es un sistema de conducta moral. Es una forma de vida. Es una sociedad fraternal. Desea hacer hombres buenos y mejores cada vez. Nos enseña la moralidad a través del simbolismo. Emplea Ritos y ceremonias para instruir a sus miembros. Está basada en la firme creencia de la existencia de un Ser Superior, la hermandad y la inmortalidad del alma"[53].

Se le asegura que serán respetadas sus creencias religiosas en la más amplia tolerancia; que podrá ser ayudado cuantas veces lo necesite por millones de masones en todo el mundo; que conocerá y será hermano en la fraternidad de las más altas personalidades; que por consecuencia su vida estará llena de éxitos y esto será un compromiso en el que todos lo apoyarán; que descubrirá las verdades más increíbles acerca de Dios y llegará a ser uno de los elegidos para el conocimiento supremo; que su vida se llenará de satisfacción, ayudando también al bienestar del mundo, a salvar la sociedad, a vencer la ignorancia y portar en el alma el sello de un redentor de la tierra.

Con esta bellísima sarta de mentiras como equipaje, el aspirante se enfrenta a su primera gran prueba, la de ser aceptado o no. Es de considerar que ante tan maravillosa expectativa de vida, quién no estaría dispuesto a afrontar cualquier cosa con tal de obtenerlo. Con estas promesas el diablo ha sembrado ya sus primeras semillas: la ambición, la codicia y la osadía.

El candidato se presenta como un profano que viene a buscar la luz de la Masonería. Se le preguntan sus datos generales y luego, en su primer discurso, el Venerable Maestro, que es el que guía la ceremonia, le dice, entre otras cosas:

---

53 Trazados Masónicos p. 294.

"El derecho de pensar y discurrir, de creer o no creer, está fundado en el conocimiento de causa, y de obrar según dicte la razón, y no conforme a la astucia o impulso de nuestro primeros directores. Sabed que el que no piensa, no examina, que el que jura en las palabras de otro y se abstiene de investigar si lo que se le enseña o ha enseñado es cierto, no es hombre, es una máquina...Dudad, amigo mío, de lo que no comprendáis o no conozcáis por vos mismo".

Es esto mismo a lo que apelo, al intelecto del lector, para que se dé cuenta de cómo está tejido este monumental fraude de Lucifer y hacia donde les lleva. Para empezar, vemos como la supuesta tolerancia a las creencias religiosas del individuo ya fue profanada al engendrar la duda y afirmar que sus primeros maestros están ya obsoletos o que son impulsivos. Hasta ahora la mayoría de los aspirantes no se está dando cuenta de lo que está sucediendo, quizá se quede en el revuelo de su mente el que lo están invitando a pensar, pero no profundiza en nada más. Ya se le habló de no jurar en palabras de otro y es precisamente ahí a donde se le está conduciendo sigilosamente.

El interrogatorio continúa hasta llegar al punto de decirle al candidato cuáles son sus obligaciones como masón. Aquí, si él está dispuesto a pensar, deberían de decirle con claridad los Juramentos que hará y las ceremonias a las que va a ser expuesto. Si fuesen íntegros deberían decirle, como lo estipula Albert Pike, que la doctrina es pura y totalmente Luciferina. Debería quedar claro que tendrá que pasar por prácticas de Control mental; que la Masonería está íntimamente ligada con el Rosacrucismo y con las Órdenes de Caballería. Sería correcto decirle que de estas últimas salieron los más criminales ritos de magia durante la Edad Media, como la oscura y temible Orden de los Templarios encabezada por Jacques de Molay. Sin embargo, todo esto es "demasiado" secreto, por lo que el candidato jamás es advertido.

En un Boletín[54] de los trabajos del Supremo Consejo, el Grado 33, Carlos Rahelemberck, dice:

"Nosotros glorificamos a los Templarios, de quienes somos herederos, y debemos hacer todo lo que podamos como MIEMBROS DE UN TRIBUNAL SECRETO. La Francmasonería belga se propone hacer, del fondo de su TRIBUNAL SECRETO, la revolución que destruirá el orden social por la corrupción y por el ANIQUILAMIENTO del Cristianismo, lo cual es exactamente su objeto oficial".

¿Se le dice acaso esto al "Cristiano" que penetra las puertas de la Masonería?

Veamos lo que el Venerable Maestro que preside, le dice al aspirante. Juzgue usted y piense si es correcto.

"Toda Asociación, amigo mío, tiene sus leyes, y todo asociado, sus deberes que cumplir; y como no sería justo imponeros obligaciones sin conocerlas, es de la prudencia de esta Respetable Asociación explicaros cuáles han de ser vuestros compromisos.

1) Será un silencio absoluto acerca de cuanto hayáis podido oír, entender o descubrir entre nosotros, así como lo que viéreis o entendiéreis en lo sucesivo.

2) De vuestros deberes es combatir las pasiones que deshonran al hombre, haciéndolo tan desgraciado, practicar la caridad evangélica socorriendo a los hermanos física y moralmente, proveyendo en lo posible sus necesidades y evitando sus infortunios, no perdiendo ocasión de asistirlos con vuestros consejos y vuestras luces.

3) De vuestros deberes no los conoceréis hasta que seáis afiliados y es cumplir los estatutos generales de la Orden, las constituciones de la Gran Logia…..y los reglamentos

54 Boletín de los Trabajos del Consejo Supremo, Bélgica 1 de Noviembre 1985, p.44.

particulares de esta logia, sometiéndoos a lo que legalmente se os pida en su nombre, pues jamás os prescribiremos nada indigno del honor y de la virtud que proclamamos.

Ya que conocéis los principales deberes de un Masón. ¿Os creéis con bastante fuerza y tendréis la firme e inalterable resolución de practicarlos?"

Esto, amado lector es todo lo que se le dice a un candidato que, tras la "cantinflada" que acaba de oír, efectivamente entra a ciegas a lo que se le espera en la Masonería.

Quiero que considere esta cláusula, llena de mentira, de que jamás se le prescribirá al Masón nada indigno de su honor. Como breve ejemplo, quiero citar un caso cuyo escándalo fue internacionalmente conocido. El financiero Licio Gelli, hombre polifacético que había pertenecido a varios partidos políticos en Italia, fundó, en 1971, de acuerdo con la Masonería italiana oficial, una famosa logia llamada "Propaganda 2", a la que convirtió en un formidable nudo de negocios, influencias y socorros mutuos entre los socios, que comprendían importantes figuras de las finanzas, la política, la cultura y las fuerzas armadas de Italia.

El caso se extendió aún más hasta el otro lado del Atlántico donde un diario en Argentina, lo publicó el 15 de Septiembre de 1982. Aquí se acusa a la logia fundada por Gelli, de secuestrar y desvelar un secreto de estado que produjo una grave situación financiera en el país. Dice así el reportaje:

"El Hecho se consideró como violación de secreto por haberlo hecho conocer el propio Gelli. La última de las causas la investiga el juzgado de Pedro Narvaiz, originada en la denuncia del político nacionalista Patricio Kelly que acusa a Gelli y a la organización 'P-2' de supuesta injerencia en los asuntos internos argentinos y de provocar el actual desfasaje económico financiero que sufre este país".

Como éste hay cientos de casos que han permanecido sepultados en el silencio masónico. Crímenes y fraudes como los que usaba Weishaupt para tener atados y en silencio a los miembros. Millones de masones con la promesa de ayudarse unos a otros, hombres buenos y malos, con una inefable hambre de poder.

Tendríamos que ser muy ingenuos para suponer que todo es limpio y cristalino cuando la orden está vinculada con todos los gobiernos mundiales y para creer que jamás nadie ha hecho nada turbio para cubrir a un hermano masón, o salvarlo de un opresor.

Volviendo al momento de la iniciación, después de leerle estas ambiguas obligaciones y tras haber visto que el Venerable le aconseja al candidato como una "Máxima Masónica" que no jure jamás con palabras ajenas, lo conduce al juramento, (ironía de ironías) en el que, dirigiéndose al aspirante, dice:

"Profano, antes de pasar adelante, exigiremos vuestro juramento sobre el libro de la Ley (Biblia) ¿Consentís en jurar? Si el candidato asiente entonces el venerable continua –Repetid conmigo: Yo...prometo bajo mi palabra de honor, cumplir las obligaciones de un buen Mason y declaro que no es la curiosidad la que me conduce aquí, sino el amor al progreso y si mintiera consiento en que así como la dulzura de esta bebida (se le hace beber agua dulce) se convierta en amargura (se le hace beber agua amarga) y el agua que se bebiere se convierta en veneno, y el desprecio de los hombres y la maldición del Gran Arquitecto del Universo caigan sobre mi cabeza".

Este candidato, que no conoce nada de las profundidades de la Masonería, acaba de jurar y de auto sentenciarse con una maldición directa de Lucifer sobre su cabeza. Y ni siquiera sabe todavía si va a estar de acuerdo con las cosas que le van a sobrevenir, ni lo que significa para el postrer destino de su alma.

Después de este Juramento se procede a los tres viajes iniciáticos en los cuales penetrará a las dimensiones espirituales del infierno. En el siguiente capítulo narraré vivídamente esta experiencia. Tendrá que entrar totalmente a ciegas, con un vendaje sobre los ojos, sin que se le informe en absoluto acerca de las consecuencias de lo que está a punto de hacer.

Al terminar este recorrido se le hará firmar un documento con los ojos aún vendados y sin tener la menor idea de lo que contiene este escrito. Por testimonios que he recolectado, este papel tiene escrita la confesión de un crimen abominable y del cual se acaba de hacer responsable el aspirante. En un caso que escuché personalmente, le habían hecho firmar al candidato el secuestro, muerte y venta de órganos de más de cien niños. Cuando la persona lee lo que acaba de firmar desfallece de angustia y entonces se le somete a un juicio en el cual se le halla culpable y se le sentencia a muerte a base de torturas terribles.

Una vez dada la sentencia, el venerable clava el documento en una espada y le prende fuego diciendo al iniciado que, pese a su culpabilidad, la Masonería lo indulta a cambio de firmar con su propia sangre su inquebrantable pacto de solidaridad con la orden.

A este Juramento se le denomina sagrado. El venerable toma de nuevo la palabra y dice: "Amigo mío: Tenéis que prestar juramento más sagrado, y como este juramento lo habéis de firmar con vuestra sangre, servíos decirnos si queréis que os sangren y en que parte de vuestro cuerpo". Tras el asentimiento del aspirante el venerable continúa: "Me basta vuestra resolución y se os hace gracia. Hermanos Expertos, conducid al profano al ara de los Juramentos y vosotros Hermanos míos servíos acompañarme".

"Amigo mío, repetid conmigo – continua diciendo el Venerable Maestro- Yo...de mi libre y espontánea voluntad, en presencia del Gran Arquitecto del Universo y de la respetable asociación, juro solemnemente y prometo de buena fe, no revelar jamás ninguno de los secretos, ninguno de los actos, ninguno de los misterios que me han sido hoy o me fueren después comunicados, más que a un legítimo Masón. Juro no escribir, grabar, burilar, trazar, imprimir, ni formar ningún carácter ni signo por el cual se pueda conocer la Palabra Sagrada y los medios de comunicarla entre los masones. Antes prefiero tener la garganta cortada y la lengua arrancada de raíz. Prometo, juro socorrer a mis hermanos, hasta donde alcancen mis fuerzas y ser fiel y casto con sus esposas, hermanas, madres e hijas. Si así lo hicieres, Dios os ayude y si no os lo demande".

Así queda fraudulentamente ligado por satanás a algo que ni siquiera sabe lo que es. El que tenía un pacto con Jesucristo o con Jehová el Padre, acaba de romperlo al entrar bajo el dominio y el señorío de este dios solar, Osiris o Gran Arquitecto del Universo. Que se desengañe quien intente seguir caminando en los dos caminos. Jehová no comparte Su gloria con nadie. Y como dice la Epístola a los Hebreos:

"Por tanto, es necesario que con más diligencia atendamos a las cosas que hemos oído, no sea que nos deslicemos. Porque si la palabra dicha por medio de los ángeles fue firme, y toda transgresión y desobediencia recibió justa retribución, ¿Cómo escaparemos nosotros, si descuidamos una salvación tan grande? La cual habiendo sido anunciada primeramente por el Señor, fue confirmada por los que oyeron". Hebreos 2:1-3

No crea, amado lector, que el Dios verdadero que envió a Su Hijo para morir por nuestros pecados, tendrá por inocente a quien haga juramento con Lucifer o con un dios ajeno, máxime si tiene conocimiento del Evangelio. El establece:

"Y Jehová dijo a Moisés: He aquí, tú vas a dormir con tus padres, y este pueblo se levantará y fornicará tras los dioses ajenos de la tierra a donde va para estar en medio de ella; y me dejará e

invalidará mi pacto que he concertado con él".
                                          Deuteronomio 31:16

"Y si desdeñares mis decretos y vuestra alma menospreciare mis estatutos, no ejecutando todos mis mandamientos, e invalidando mi pacto…"   *Levítico 26:15*

Es posible romper estos pactos y deshacer estos juramentos, y de esto hablaré al final de este libro.

TESTIMONIOS DE INICIACIONES

Todo lo que hasta ahora he expuesto es el producto de una profunda investigación de la Orden, sin embargo, es necesario que en estas páginas se incluya un testimonio real de alguien que hubiera estado envuelto en la Masonería. Por eso busqué a Tanya, una vieja amiga que, como yo, se había involucrado en una serie de filosofías y ramas de la parasicología.

Ella además se había introducido en el siniestro mundo de la Masonería alcanzando el mayor grado que una mujer pueda lograr, el tercero.

Ella se había alejado hace tiempo de todas esas prácticas para servir verdaderamente a Cristo, entregándole su vida para dedicarse a predicar el único Evangelio de la Cruz.

Cuando le propuse que me ayudara con este libro, sus ojos parecieron iluminarse rebosando una enorme satisfacción como si siempre hubiera deseado hacer algo así y ahora viera por primera vez salir el sol en un anhelo que había estado guardado por mucho tiempo.

ENTREVISTA DE TANYA

-Tanya, ¿Cómo es que alguien puede llegar a ser Masón? ¿Los Masones te buscaron, o como llegaste a ellos?

-"La Masonería es algo tremendamente secreto y, de hecho, no es fácil descubrir a un Masón ni intimar con alguno de ellos. Todo se maneja en base a códigos secretos, como toques, señas y palabras absolutamente confidenciales".

-"Ellos no te buscan a menos que seas una persona muy importante o que tú puedas servir a un plan específico que tengan en mente. En la mayoría de los casos es uno el que busca, precisamente seducido por ese carácter tan oculto y misterioso que emana de su forma de manejar sus asuntos".

-"Es el aura de misterio que les rodea lo que atrae el alma del hombre que está buscando llenar un vacío interior, que ha tratado de satisfacer por todos los medios y al que no ha encontrado respuesta".

-"Otros entran buscando conseguir relaciones con gente importante, o por la ambiciosa búsqueda de poder. Para ingresar, se necesita hacer contacto con un miembro de esta organización y prácticamente suplicarle que te ayude a conseguir una solicitud, la cual tiene que pasar por un juicio en el que la aceptan o la rechazan".

-¿Qué es lo que te atrajo a ti personalmente? ¿Por qué creíste que era tan importante formar parte de esa sociedad?

-"Yo estaba en ese tiempo muy involucrada con esoterismo y parapsicología, pero dentro de mí había un anhelo de encontrarme con Dios, y ese fue el gancho. En esos medios lo que se maneja para atraer a los incautos, es la afirmación de que Dios está oculto para la mayoría de la gente y que pocos son los que lo encuentran. Y esto es lógico, porque el hombre, ahora lo sé, no puede jamás alcanzar a Dios, es Dios mismo el que nos busca y el que nos atrae a Sí mismo. En aquellos momentos yo buscaba desesperadamente alcanzar esos lugares celestiales de los que tanto se habla en las ciencias ocultas".

"Yo quería por todos los medios llegar a sentir una plenitud con Dios que pudiera satisfacer mi necesidad interna. Pero que ajena estaba de saber lo lejos que se encontraba Dios de esta Asociación aparentemente tan llena de Él. Me atraía irresistiblemente saber que ahí se adoraba al que yo creía que era el Dios verdadero, al Gran Arquitecto del Universo, el supremo Dios. Me llenaba el hecho que ahí se buscara Su sabiduría y Su conocimiento costara lo que costara".

-"...Cualquiera que está en esta búsqueda, es presa fácil para la Masonería. Su apariencia de nobleza y de bondad es, como lo puede llegar a descubrir más tarde, el mayor ardid de satanás para engolosinar el "ego", enredar el alma del hombre y arrastrarle hasta su abismo eterno".

-"Es increíble ver cómo la gente acepta con tanta facilidad cualquier cosa por el simple hecho que tenga la más mínima lógica. Es más cómodo aceptar el plato digerido, que meterse en la tediosa tarea de comprobar que lo que nos dicen sea realmente bueno y que proceda de Dios".

-"Nos conformamos con que las enseñanzas o las teorías que nos dan, den sentido a nuestro criterio. Nos dejamos engañar, sin saber que nos podemos estar metiendo incautamente en las fauces mismas del averno. A veces me he puesto a pensar qué poco apreciamos nuestra alma y qué poco temor hay en el mundo del destino eterno. Nos creemos dueños de la vida y de la muerte; nos vamos convirtiendo en jueces implacables tratando de quitar la paja del ojo ajeno y no viendo la viga que nos ciega. ¡Cuánto dolor me hubiera ahorrado si hubiera inquirido de Dios en su Palabra y la hubiera obedecido con corazón manso y confiando en lo que enseña!"

Cuan cierto era todo lo que decía Tanya. Me quede meditando un momento y luego continué.

UN VERDADERO VIAJE AL INFIERNO

-Una vez que aceptaron tú solicitud ¿Cómo fue la ceremonia de iniciación?

-"Era de noche. Me recibió un encapuchado en la calle a la puerta de la Logia. A ese personaje se le conocía como el Primer Experto. Me vendó los ojos y me introdujo al cuarto de reflexiones después de muchos rodeos. Ahí me despojó del vendaje y frente a mí se descubrió un recinto negro con una mesa y un ataúd además de otros objetos. Con voz gruesa y pausada me dijo que reflexionara en todo lo que veía y que llenara un formulario que se encontraba sobre la mesa en un papel triangular. Después de decir esto salió del cuarto dándome instrucciones de que, cuando terminara, diera tres golpes sobre la mesa y no volteara a ver quién entraba".

-"El oscuro cuarto, apenas estaba iluminado por unas velas, lo que hacía que el ataúd que estaba frente a mi resplandeciera en forma siniestra. Sobre la mesa había un cráneo y las velas que alumbraban el lugar. En los muros habían dibujados algunos símbolos de la muerte. En realidad, en lo primero que pensé al estar en aquel siniestro sitio, fue en mi propio fallecimiento, en lo efímera que es la vida y en lo importante que es estar preparado para la venidera. Quería estar en paz con Dios, así que lo único que se me ocurrió fue pedirle perdón por mis pecados y suplicarle también su protección para esta desconocida ceremonia a la que me iba a enfrentar.

"Nunca me cuestioné si le era agradable o no lo que iba hacer. Presuntuosamente asumí que Él me tenía que ayudar en cualquier circunstancia en la que yo estuviera, porque yo lo veía como un Dios de amor, pero Él es también Justo y Santo. Yo estaba demasiado envanecida en mis propios razonamientos como para preguntarle Su opinión, o quizás lo conocía tan poco que me figuraba que estaba demasiado ocupado como para hacerme caso. ¡Las cosas que uno piensa!. La realidad es que es un Dios Omnipresente, Todopoderoso y que está atento a la obra de sus manos. ¿Dónde me podría esconder para que no me escuchase o para que no me viera?".

-"Cuando terminé de escribir, hice como se me había ordenado y no tardó mucho tiempo en que escuché cómo la perilla de la puerta rechinaba a mis espaldas. De nuevo sentí unas manos desconocidas poniéndome el vendaje sobre los ojos y me llevaron otra vez fuera de la Logia. Hicieron que me pusiera la camisa por fuera de los pantalones, que me enrollara la manga de la mano izquierda la cual me vendaron y ataron al cuello con un pañuelo. Luego me subieron el pantalón de la pierna derecha y me ordenaron que dejara todo dinero afuera. Todo esto simbolizaba el estado en que estaba llegando, espiritual, anímica y físicamente a pedir la ayuda de la Masonería. Desnuda, descalza, imposibilitada, ciega y pobre. De hecho este lugar donde recibes lo que ellos llaman "tu primera luz" se vuelve parte de tu identificación como masón".

-"Después de esto, me hicieron un exhaustivo cuestionario acerca de mis creencias religiosas. Luego se escuchó los toques en la puerta en forma irregular que dió el "Guarda

Templo Exterior" El "Guarda Templo Interior había sido alertado. Se oyeron varias voces que gritaban desde dentro: "¡Alarma, a la puerta del templo, tocan profanamente!". Otra voz fuerte y profunda exclamó "¿Quién es el temerario que se atreve a interrumpir nuestros trabajos y trata de forzar las puertas del templo?". En ese momento se sintió una leve corriente de aire que se adentraba hacia la puerta que se había abierto. Sentí el impulso de dar un paso cuando me detuvo la punta de una espada que se apoyaba a la altura de mi corazón".

-"Otra vez la misma voz profunda del guarda templo repitió la misma pregunta, la cual fue casi interrumpida por el encapuchado que exclamó:

-"¡Deteneos! Yo soy el que vengo a presentar a esta profana a nuestra Respetable Asociación".

-"Bajó entonces la espada y nos presentó con el Venerable Maestro. Yo esperaba una palabra de bienvenida, pero, por el contrario, el Venerable alzó la voz y dijo, produciendo un escalofrío en todo mí ser:

-"Amigos, empuñad vuestras espadas, una profana está a las puertas del templo".

-"Un fuerte ruido de aceros se dejo oír que al instante fue acallado por el Venerable:"

-"Hermano Experto, ¿Cuál es vuestra intención en hacerle llegar hasta aquí? ¿Qué es lo que pretendéis?"

-"Que una mujer de honor aunque profana, sea admitida entre nosotros".

-"¿Con qué derecho se ha servido esperarlo?"

-"Con el derecho de ser mujer libre y de buenas costumbres. Yo respondo de ella".

-"Después de que me hicieran una serie de preguntas sobre mis datos generales el "Venerable Maestro" dio un discurso sobre el estado de tinieblas en que me estaban recibiendo y de cómo el genio del mal me hacía instrumento de discordias y desgracias. Dijo que estas tinieblas en las que me encontraba eran la imagen de la situación del ignorante que obedece automáticamente al impulso que le dan, como la mano que ahora me dirigía. Me exhortó a pensar en todo lo que me dijeran y que dudara de lo que no comprendiera o no conociera por mí misma. Y luego concluyó diciendo:

-"Reflexionad bien las consecuencias del paso que vais a dar, porque son terribles y espantosas para el débil a quien abruman con su peso, y sólo el hombre de fe y de valor puede resistirlas y salir victorioso. Si carecéis de esas virtudes, ¡Temblad!, porque vuestro sacrificio es inmenso, y las pruebas que sufriréis podrán agotar vuestra constancia y harán vacilar vuestra firmeza. Si entráis en nuestras filas, no sólo tendréis que luchar como nosotros, durante vuestra vida y a brazo partido, contra nuestros enemigos naturales, "Las Pasiones", sino también contra enemigos más ocultos, contra todos los hipócritas, contra todos los fanáticos, contra todos los ambiciosos, más o menos ignorantes o ilustrados, contra todos los que especulan con la ignorancia y el oscurantismo de los hombres, sus hermanos. ¿Os sentís con la energía suficiente para ser miembro de nuestra asociación y estáis resuelto a soportar los trabajos que pasaréis durante el resto de vuestra existencia en ese combate de la luz contra las tinieblas, de Honor contra la Perfidia, de la Verdad contra el Error?".

-"Cuando terminó su discurso me leyó las obligaciones del Masón y me llevaron al trono del Venerable para que prestara mi primer juramento. Me dieron a tomar el agua con miel y luego el agua amarga. Después me dio agua simple, y esto quería decir que el agua que bebiera desde el momento en que mintiera se convertiría en veneno y la maldición del Gran Arquitecto del Universo sería sobre mí. Al terminármela me quitaron la venda de los ojos. El Venerable me puso una pluma en las manos y, sobre una mesa que estaba dispuesta frente a mí, deslizó una hoja de papel. "¡Firma aquí!" me indicó con voz convincente y segura. Titubee unos instantes ya que no quería firmar nada que no supiera o que era, en ese momento me dió un pequeño empujoncillo sobre el hombro como para animarme. No vacilé más y firmé. Entonces, el Venerable le dijo al encapuchado que me guiaba:

-"Preparad todos los utensilios para las pruebas; el agua, el fuego, la palangana para la sangre y los demás útiles".

-"Me vendaron otra vez los ojos, mientras en mi mente me cuestionaba llena de horror para que serían esos instrumentos. No podía ver nada. Dentro de mí se agitaban un sinnúmero de emociones contrapuestas. Tenía miedo, pero trataba con todo mí ser de hacer el mayor acopio de valor que jamás hubiera hecho. Una frase se agolpaba sin cesar dentro de mí, "Tienes que pasar la prueba, Tanya, tienes que pasarla, solo así serás aceptada". Por otro lado clamaba a Dios para que me diera fuerzas rezando un Padre-Nuestro tras otro. Era una prueba no solamente para ser iniciada sino también para mí, para saber si todo ese gran poder que había adquirido en la cibernética para ayudar a otros, era tan cierto, como yo me jactaba. ¿En dónde me estaba metiendo? Me preguntaba. ¿Era así la única forma de llegar a mi amado Dios?".

-"Llegó el momento de empezar el primer viaje. Todo estaba a oscuras. No se percibía ni el más remoto hilo de luz a través del vendaje. Algo en mi interior me decía que eso no estaba bien. Me dejaron un rato en ese lugar de penumbras con una mano y una pierna alzadas. Se sentía la desagradable humedad y el frío de aquel recinto. Mi corazón latía alocadamente. Estaba muy nerviosa. No sabía dónde me llevaban. Y, frente a lo desconocido, el temor que ha hecho presa de la imaginación se convierte en el peor enemigo. Después de unos eternos minutos empezó "la travesía". Alguien me tomó de la mano que tenía en libertad y empezó a guiarme. Se oía una música tétrica y misteriosa. Una pequeña brisa empezó a refrescar, y el guía me llevó con precaución hacia un muro de piedra diciéndome:

-"Hay un precipicio frente a nosotros, este es el valle de los muertos, caminad despacio y con precaución, el camino es muy angosto".

-"El aire empezó a golpear con más fuerza y me invadió la terrible sensación de que el vacio se abría bajo mis pies. Un vértigo que me golpeaba el estómago me hacía sentir que el abismo me atraía y me arrastraba hacia abajo. Quizá estábamos bordeando una profunda cisterna o las excavaciones de los cimientos de algún gran edificio. Me acordé del huracán que no cesa nunca de girar, formado por las almas perdidas, de la Divina Comedia. Me daba la impresión de ver sus rostros desfigurados por la angustia y desesperación caer aceleradamente al vacio en ese torbellino de aire hasta verlos perderse en las profundidades.

"El suelo era arenoso, lo que me hacía difícil poder caminar con pasos firmes y seguros. Además se sumaba a mi espanto la horrible sensación de poder pisar la mano de alguien que afanosamente se estuviera asiendo del pretil en un desesperado e inútil intento de escapar de su agonía infernal. Súbitamente el guía se paró en seco, deteniéndose, como tratando de cubrirme de algo que le había quitado el habla. La imaginación en esa oscuridad y en esas circunstancias se me disparaba creando formas vivas entre lo irreal y lo real, y más aún sabiendo que los masones son capaces de cualquier cosa. La música se detuvo con un golpe sonoro de órgano. El aire todavía soplaba fuertemente, pero no pudo esconder el estruendoso rugido que se dejo escuchar. Presa de pánico me aferré a una roca en el camino".

"Los rugidos seguían vibrando en una garganta que identifiqué con la de un enorme felino. El arrastrar sigiloso de sus pezuñas me hacía pensar que se lanzaría sobre nosotros en cuestión de segundos. De pronto algo tremendamente voluminoso cayó sobre mí dejándome sin aire. Al mismo tiempo el guía me dio un fuerte jalón y fuimos a estrellarnos en lo que supongo serían unas rocas que me rasparon todas las costillas. Se empezaron a oír voces y golpes y fue en ese momento cuando la mano del guía me levantó. El ruido era fuertísimo como si estuviéramos en medio de un terremoto o una avalancha. Aquel estruendo continuó un rato y luego se fue calmando hasta que se hizo un silencio absoluto. ¿Dónde me había venido a meter, pensé?"

-"Todavía con los ojos vendados nos encontramos frente al Venerable Maestro quien me explicó el significado del Primer Viaje:

-Los obstáculos con que habéis tropezado y que os hubieran hecho caer si una mano experta no os guiase, representan la primera edad de la vida con toda su impotencia contra el error y la astucia de los hombres, contra ese mundo del que venís, erizado de escollos, donde se estrellaría vuestra ignorancia sin maestros".

-"En la iniciación este viaje representa también el segundo elemento, el aire, con sus ruidos, truenos y desordenes. Notaríais que después de aquel ruido hubo una calma perfecta; pues, de la propia manera que después del huracán y los cataclismos de la naturaleza, viene el reposo, pasado el tiempo o la edad del error y de la duda, se goza de la tranquilidad, de la razón y de la paz del alma que satisface la conciencia".

En la explicación que el Maestro Leadbeater[55] da a este viaje, dice que éste representa un débil remedo de las pruebas

---

55 Leadbeater, C.W: *"La Vida Oculta en la Masonería"*, Berbera Editores, 2005, pp. 288.

que el candidato debía de pasar en los antiguos Misterios, cuando se le conducía por tenebrosas cavernas, símbolo del mundo astral inferior, entre tumultuosos ruidos y rodeado de peligros que no podía comprender. Añade el Maestro que "para aquéllos que ingresen en la orden Masónica que hayan de pasar después de la muerte por el subplano inferior del mundo astral, han de estar preparados para sufrir la prueba tranquilamente y sin temor. Lo que dice concretamente Leadbeater es que los que vayan a las partes más terribles del infierno en su destino eterno, tienen que irse entrenando desde aquí. ¡Sin comentarios!

Continuando ahora con la iniciación de Tanya:

-"Según nos acercamos a lo que me enteré que era el sitial del Segundo Vigilante, llegamos al segundo portal. Aquí me presentaron a los espíritus de la tierra y del agua que son los pertenecientes a la región Astral que estábamos penetrando".

-"Empezamos a caminar lentamente hasta encontrar un lugar lleno de animalillos que sentía cómo se aplastaban bajo mis pies. -¡"Saltad"!, gritó la voz del que me tenía asida, -"está lleno de arañas y víboras". En medio de las discordantes notas musicales las podía escuchar deslizándose por el suelo. Trataba de sacudírmelas agitando las piernas y procurando apenas tocar el suelo con mi pie desnudo. Sentía las finas patas de los arácnidos resbalar por mi blusa. Tenía escalofríos en todo el cuerpo. Me sentí con ganas de correr y de gritar. ¿Pero correr hacia dónde?; ¿Gritar a quien? Me parecía estar entrando al mismo infierno. Mi único punto de confianza era esa mano desconocida que me guiaba y esa voz solemne que me avisaba los peligros. Por un momento pensé en lo absurdo que me parecía estar pasando por ese momento tan ajeno a todo lo que mi conciencia entendía por el bien. Hoy en perspectiva sé, que sólo existe un poder que está interesado en entrenarnos para el infierno eterno, y ese es satanás".

-"Seguimos hacia adelante, donde un pantano húmedo cubierto de vapores putrefactos era nuestro siguiente paso. Al fondo se escuchaban voces angustiadas y entrecortadas. La música se semejaba a lánguidos gemidos que flotaban en el aire como voces de ultratumba que clamaban por ser liberadas de su tormento. Bajo mis pies sentía la sensación de estar caminando en un lodazal donde algunos pedazos de ramas y de piedrecillas lo hacían a veces áspero y a veces punzante. Sentí algo que rasgaba mi pierna descubierta pero no tuve tiempo de pensar qué era porque en ese momento la voz me dijo con cautela:

-"¡Cuidado!, agachaos lentamente y caminad despacio, sobre nosotros hay una enorme boa. No nos mira fijamente, pero nos presiente. Tenemos que hacer que piense que tiene mucho tiempo para atacar, porque en cuanto clave su mirada en nosotros se arrojará para estrangularnos. Caminamos muy lentamente. Algo frio tocó mi espalda, como si fuera una mano alargada que resbalara a lo ancho de mis costillas. Me quedé sin respiración. La presión arterial me subía por minutos. Estaba en un estado de tensión que entorpecía cada vez más mis movimientos. Se escuchaba el ruido de follaje que se agitaba y como si la mirada de algún ser nos vigilara y nos fuera siguiendo, esperando el momento exacto de salirnos al encuentro. Quizás era una sola mirada la que nos cazaba sigilosamente, pero yo sentía miles de ojos que traspasaban mi cuerpo y me erizaban la piel con un desconocido propósito. Eran tal vez las miradas desesperadas de esas voces que trataban de decirme que nunca pudieron salir de ahí; que se quedaron para siempre atrapadas en el infierno y que ya no había esperanza. El clamor desgarrado de sus entrañas ya no encuentra eco en esa casi imperceptible presencia de lo divino que se siente al levantar un ruego al cielo. En sus almas sólo se escucha el vacío; sus voces se pierden en el tormento de la eterna separación de Dios. Este pensamiento sacudió mi conciencia, pero no tuve tiempo de ahondar en mi reflexión".

-"Estamos entrando a la tierra de los mandriles", dijo la voz de mi guía, "aunque los árboles son altos y frondosos, tenemos que caminar con tranquilidad, que sientan que no tienen nada que temer, que somos amistosos". -"No había concluido la frase cuando el golpe sordo de varios de ellos que caían desde lo alto me dejó paralizada. Sentía su respiración cerca de mí. Uno de ellos se colgó de mi camisa y empezó a sacudirme. Sus uñas clavándose en mi espalda y su aliento cerca de mi cuello me hizo pensar que el fin había llegado. Me zarandeaba con tal fuerza que caí al suelo. Se oían rugidos y alboroto, como si estuvieran peleándose entre ellos para ver quién devoraría nuestras carnes. Ya no podía más, estaba presa del terror y estaba a punto de arrancarme el vendaje cuando me detuvo un largo gemido a lo lejos que pensé que debía de provenir de aquéllos que no habían podido resistir y habían fallado en la prueba".

-"De pronto se oyó el ruido de agua que caía. Súbitamente los mandriles salieron corriendo. Nos encontramos en un lugar húmedo, caluroso y con humo. Se oían los lamentos muchos más cercanos y cadenas que se arrastraban. La música que aún se escuchaba empezó a acelerar su ritmo como indicando que algo nos iba sorprender de un momento a otro. Sentía la impresión de que mi corazón se me iba salir por la garganta en cualquier instante. Parecía como si hubiéramos entrado al fondo del averno. De pronto se dejó oir un fuerte ruido de acero golpeando algún otro metal, como si fuera el sonido de una espada estrellándose en un yunque. Mi mente se había trasportado al trono de Vulcano, esa cueva subterránea incandescente donde el herculeo y cojo dios del fuego y de la metalurgia fraguaba las armas de los dioses romanos. Se sentía un agobiante calor y al mismo tiempo se palpaba una oscura presencia espiritual, como si una alada y enorme sombra negra, más profunda que la misma noche, gobernara aquel sitio infernal. A pesar de la alta temperatura que nos asfixiaba, aquel temible espíritu lo presentían mis huesos como un cuchillo de hielo que los atravesara con dolor agudo. El sonido de los metales que chocaban comenzó a definirse con más claridad: Era un duelo de espadas".

"Una batalla que parecía la misma que resonaba en mi interior; mi propia lucha por la supervivencia. Un duelo entre mis propias creencias que, en medio de la confusión y el caos, aún trataban de seguir existiendo en esta agobiante guerra entre el bien y del mal. "¡Yo lo único que deseo es encontrar a mi Dios!" gritaba, y mi voz parecía perderse en un vacío insondable que llenaba todo mi interior. ¡Qué lejos puede volar el alma o a qué profundos abismos la pueden arrastrar los invisibles espectros de las tinieblas! ¿Cómo se detiene el avance desenfrenado y frenético del terror?¿Dónde se desvanece el bien en esta turbia neblina donde el mal se disfraza del bien? ¿Dónde termina la realidad y empieza la ilusión o el desvarío? Y ¿Quién mueve las cuerdas del alma para empujarla como ola tempestuosa entre una roca y otra? ¿Dónde estás, oh Dios? Y ¿Dónde, esta humilde profana, que tanto te busca?"

-"Seguimos el recorrido. Me hizo levantar una pierna para saltar una piedra y al bajar, estábamos entrando a una especie de río. Caminamos poco tiempo por las aguas y luego salimos. Esto lo hicimos tres veces. Después entramos al cuarto de reflexiones, una habitación donde, pasaría largas horas durante mi carrera masónica. Me quitaron la venda y me dijeron que tenía que escribir mi testamento, lo que me pareció sospechoso y me llenó de miedo. Sobre todo teniendo un sarcófago frente a mí que muy bien podría ser mi próximo destino de no pasar la prueba. Eso pensé en ese momento; aunque al mismo tiempo algo me hizo dudar de que pudieran llegar a tanto. Estaba ajena de la diabólica telaraña que se estaba empezando a tejer cubriendo todo mi ser y de la cual muchos jamás logran escapar. Yo sabía que el que penetra el umbral de la Masonería, abre una puerta que sólo tiene cerrojo por fuera y el que ha entrado no puede dar marcha atrás".

-"Cuando terminé de escribir con todo detalle mis últimas voluntades entró el guía y me volvió a poner el vendaje para seguir la travesía. Me condujo a una silla con una mesa enfrente y me dijo que me sentara. El Venerable Maestro tomó la palabra para explicarme el segundo viaje".

-"De entre las dificultades que habéis padecido, el agua por la que habéis pasado es el mar de bronce, alegórico de la tierra, y el ruido de las espadas, representan por una parte la segunda edad de la vida, cuyas pasiones son el simulacro de las olas embravecidas, y el choque de los aceros señala nuestra tendencia a hacernos a la vez jueces y verdugos. Por otra parte representa vuestra victoria sobre el tercer elemento, el agua".

Según la explicación que da Leadbeater sobre este viaje, el candidato está en una peregrinación por las regiones de los espíritus elementales y va en camino a los planos superiores. Su enseñanza sigue así:

"Después de la muerte, dice el Maestro, los que se apegaron al grado inferior de la existencia emocional incorporada en dicha clase de materia, han de permanecer en los bajos subplanos del mundo astral. El segundo viaje es análogo al primero, con la diferencia que los ruidos son suaves y no estrepitosos. El candidato está todavía en el mundo astral, pero en la parte intermedia, mucho más fina y sutil que la que acaba de atravesar. Esta es la región de las ciegas pasiones; aquella de las ordinarias emociones humanas".

-"Empezamos el tercer viaje después del último interrogatorio del Venerable que preguntaba una vez más quién era la profana que quería pasar. Un fuerte ruido de llamas y un calor intenso se dejo sentir, mi guía me trataba de acercar al fuego, pero yo tenía mucho temor. -"No hay otra alternativa tenéis que cruzar!" Me cubrí la cara con el brazo que estaba vendado y haciendo un acopio de valor me dejé arrastrar por mi guía para atravesar aquéllo que me imaginaba que sería una pared incandescente. Cruzamos aquel infierno. El estruendo de las llamas se fue haciendo cada vez más tenue dando paso a una música suave. Caminamos lentamente. Nos topamos con otras dos series de llamaradas que atravesamos sin contratiempos y asi concluyó este último viaje. De nuevo me sentaron y el Venerable explicó su significado.

-"En este viaje amiga mía, sólo un hombre os detuvo, representa la edad madura. Las llamas que habéis atravesado representan vuestra purificación y el amor a vuestros semejantes que debe arder eternamente en vuestro corazón. Habéis concluido los tres viajes establecidos desde la más remota antigüedad. El agua lustral en que os bañastéis se llevó en su corriente las viejas escorias de vuestras pasadas edades así como el fuego consumió los antiguos vicios para que se perdiera la memoria de aquella corrupción".

Según el Manual del Aprendiz de Lavagnini[56], este viaje representaba en los antiguos Misterios la entrada a una sosegada región, símbolo de los subplanos superiores del mundo astral.

-"Al terminar me sentaron frente a una mesa sobre la que pusieron otro papel y me dijeron que firmara sin leerlo. Yo no quería firmar nada sin saber lo que era pero, sin obligarme físicamente pero con mucha insistencia, me animaron a hacerlo. Pensando que sería mi certificado de ingreso a la Orden tome la pluma y firmé".

-"Fue entonces cuando me quitaron el vendaje de los ojos. Delante de mí se erguía un majestuoso salón revestido de finísimas maderas esculpidas con una serie de símbolos, escuadras, compases y espadas. El techo estaba pintado de azul profundo, como un firmamento lleno de estrellas y de signos del zodiaco. Al fondo, frente al pórtico, se levantaban

---

56 Lavagnini, Aldo: "*Manual del Aprendiz*", 7ª Ed., Editorial. Kier, Bs. As.pp. 170.

dos imponentes columnas en las que se enroscaban unas serpientes talladas en la misma madera y pintadas como si fueran de bronce. Entre ellas, había un hermoso cuadro que representaba un arcoíris y toda la estancia estaba alumbrada únicamente por velas, lo que le daba un cierto aspecto entre siniestro y a la vez misteriosamente atractivo".

-"A lo largo de las paredes se encontraban sentados los compañeros y los aprendices, todos con el Mandil de trabajo ceñido a la cintura. Frente a mí, en el medio del salón, se mostraba "El Ara", el altar Masón sobre el cual estaba colocado un cojín rojo con una Biblia abierta y sobre ella una escuadra, un compás y unas espadas. Todo ello simbolizaba que la razón es la que debe gobernar sobre el cuerpo y el espíritu".

-"Los pocos instantes que me permitieron de silencio para que pudiera contemplar el lugar fueron interrumpidos con la voz grave del Venerable Maestro quien,   pausadamente, procedió a leer el documento que yo acababa de firmar. No recuerdo las palabras exactas que decía pero nunca se me olvidará el escalofrío que recorrió mi cuerpo, y el terror de verme sin escape, al darme cuenta que lo que había firmado era mi intervención directa en un crimen, en el que yo misma me acusaba de haberlo cometido. Me sentí perdida como un náufrago a mitad del océano zarandeado por una tormenta. Ahora sí que estaba sola y sin salida".

-"Inmediatamente después de la lectura, se organizó un juicio en mi contra. Mi confesión fue determinante para que se me declarara culpable y, prácticamente sin deliberación alguna, fui sentenciada a ser despellejada viva para después ser descuartizada".

-"Por lo que yo había oído sobre el poder casi sin límites de la Masonería, no me pareció nada difícil que pudieran hacerme desaparecer sin que la justicia moviera un dedo en investigar. ¡Es una organización tan poderosa! Pensé que todo lo ocurrido era una cruel máscara para encontrar un culpable de un crimen que ellos habían cometido y así pudieran lavarse las manos impunemente. No tenía escapatoria ni esperanza".

-"Cuando ya la más profunda desesperación se había apoderado de mí y esperaba con resignación, que acabara toda aquella pesadilla y se ejecutara la sentencia, sacaron otro papel que pusieron ante mí. Sentía terror de saber que era lo que contenía. Todo mi cuerpo temblaba. La voz del Venerable se levantó en medio de un solemne silencio".

-"Ejerciendo el amor y la fraternidad, columnas de nuestra Orden, hemos decidido perdonarte la vida y protegerte de la justicia contra esta infamia que has cometido, a cambio de lo cual nos debes tu vida a perpetuidad para servir a los fines de la Masonería y para ayudar a todo hermano Masón que se encuentre en cualquier apuro. Para este fin, firmarás con tu propia sangre el pacto de honor y de ingreso a la Fraternidad, el cual jurarás que jamás traicionarás, ni revelarás sus secretos, ni los toques que se te enseñarán para identificarte y para entrar a la logia, ni la palabra de poder que hoy te hacemos entrega como especial tesoro de tu grado".

-"Ahora, decidnos: En que parte de vuestro cuerpo preferís que os sangren?".-"Extendí el brazo para que de ahí extrajesen la sangre con la que quedaría sellado el pacto y con la que entregaba mi vida al servicio de la Masonería".

-"Me basta vuestra resolución y se os hace gracia. Hermano Experto, conducid a la profana al Ara de los Juramentos, añadió el Venerable".

-"Cuando hube firmado, el Venerable pidió una espada. Una mujer se la dio. Este, con ademán de quien hace algo heroico, clavó en la espada el documento que me culpaba y sosteniéndolo en alto, le prendió fuego hasta que quedaron sólo cenizas".

-"Después, me llevaron al cuarto de reflexiones para arreglarme la ropa y regresar al templo con los ojos vendados de nuevo. Cuando el Venerable preguntó a los dos Vigilantes y al Orador que habían sido mis veladores y defensores, qué era lo que querían para mí, ellos contestaron al unísono: "Luz", "La Gran Luz". Entonces la voz del Venerable se escuchó, parodiando la voz del verbo en el milagroso acto del "Fiat Lux", diciendo:

-"Que la luz sea".

-"Sólo entonces me quitaron definitivamente el vendaje. Estaba rodeada de todos los que ya eran mis nuevos "hermanos". Con sus brazos alzados sostenían una espada desenvainada cada uno haciendo una especie de centelleante cúpula sobre mí".

En el libro "Manual del Aprendiz" de Aldo Lavagnini[57] al referirse a este momento dice:

"Los hermanos reunidos alrededor del aspirante, con sus espadas juntas formando una bóveda de acero sobre su cabeza, sin que él pueda darse cuenta todavía de su presencia, con sus propios ojos, son el símbolo de aquellas presencias o inteligencias invisibles que se hallan constantemente alrededor de nosotros, sin que nos demos cuenta de ello; mudos testigos de nuestros actos, que nos vigilan, nos protegen y nos ayudan para llevar a cabo nuestros propósitos y nuestras aspiraciones más elevadas".

-"Bajaron las espadas y haciendo un círculo entrecruzando los brazos los unos con los otros, dijeron a una voz: "Todos para uno y uno para todos".

-"Terminó la ceremonia con mi consagración al Gran Arquitecto del Universo y al finalizar, todos se acercaron para abrazarme y felicitarme por haber sido aceptada en la

---

57 Ibíd.

fraternidad. Estaba aturdida por el agotamiento de tantas horas de terror y embotada por un extraño sentimiento de felicidad por haberlo conseguido. No podía darme cuenta que, no sólo había fiesta en una logia terrenal sino la verdadera celebración se estaba llevando a cabo en la suprema Logia del príncipe de las tiniebla donde mi nombre acababa de quedar inscrito y con mi propia sangre. Cómo imaginarme entonces, entre abrazos y parabienes, que era a satanás mismo a quién realmente le había entregando mi alma y con ella mi destino eterno.

"El es el arquitecto que ha formulado sus planos en el universo, lo ha hecho a través de la astrología, de los planos astrales".

Dios establece claramente su pensamiento a este respecto:

"Te has fatigado en tus muchos consejos. Comparezcan ahora y te defiendan los contempladores de los cielos, los que observan las estrellas, los que cuentan los meses, para pronosticar lo que vendrá sobre ti. He aquí que serán como tamo; fuego los quemará, no salvarán sus vidas del poder de la llama...."   Isaías 47:13 y 14

TESTIMONIO DE DAVID W. M. VAUGHAN DE LA GRAN LOGIA DE LONDRES.

1.- INICIACIÓN AL TERCER GRADO

-"Las bases de la ceremonia del Tercer grado es una representación de la historia de la muerte del Maestro masónico Hiram Abiff. Según se cuenta, éste fue brutalmente torturado por tres trabajadores viles, porque no quiso revelar los secretos de su alto grado de Maestro Masón. Fue golpeado fuertemente en la cabeza con un mallete de madera (martillo de albañilería) lo que causó su muerte. Durante la ceremonia el candidato también es golpeado simbólicamente en la frente

Certificado de iniciación del Tercer grado Maestro Masón

y es recostado en el piso de la logia, simulando así la muerte de Hiram".

-"La historia continúa con los restos del maestro que desaparecieron misteriosamente y, cuando al fin fueron encontrados después de siete días, se hicieron varios intentos por resucitarlo. Primero lo intenta un Aprendiz levantándolo con la mano, pero se le resbala y no lo logra; después lo intenta un Compañero, pero obtiene el mismo resultado. Finalmente, un trabajador más experto, sujetando el cuerpo con más fuerza con la mano derecha, lo vuelve a la vida tocándole en los cinco puntos claves del compañerismo. En el actual Rito Masón se dice, simulando esta resurrección: -"Mano con mano, os saludo como hermano; pie con pie os sustentaré en vuestros loables compromisos; rodilla con rodilla, postura de mis diarias súplicas me recordará de vuestros deseos; pecho con pecho, cuando me confiáreis un secreto lo guardaré como uno propio; y mano sobre espalda protegeré vuestro honor en vuestra ausencia y en vuestra presencia"-.

-"Estos sentimientos me parecieron en aquel entonces una magnífica forma de declarar el interés de un Masón hacia otro. Siendo franco", añade David, "es muy fácil aceptar estas máximas y que, si el mundo entero las adoptara la humanidad sería otra cosa. Pero es también tan sencillo dejarse llevar por el valor superficial de estas palabras y dejar de ver por completo la terrible herejía que hay detrás de esta ceremonia".

-"Esta porción del ritual en que tenía que pasar por mi muerte y resurrección simbólicas, se llevó a cabo en el cuarto de reflexiones con una luz muy tenue. Me metieron en un ataúd con una rama de acacia en las manos y me pusieron al lado un cráneo humano y unos huesos que simbolizaban la muerte y me dijeron: "La luz de un Maestro Masón es **Oscuridad Visible**". El significado de estas oscuras palabras, me vine a dar cuenta mucho después, no era otra cosa sino la Luz de satanás, príncipe de las tinieblas".

Cuarto de Reflexiones en el que el Aspirante ingresa vendado. Al salir, luego de realizar una serie de pactos, verá la "luz".

Para el común de las personas iniciadas en este grado, esta ceremonia no es más que una reflexión sobre la muerte y una representación dramática del fallecimiento de este antiguo arquitecto del Templo de Salomón. El contexto espiritual de esta ceremonia, en teoría, es extraído de la enseñanza que Jesucristo le da a Nicodemo:

"De cierto, de cierto te digo, que el que no naciere de nuevo, no puede ver el Reino de Dios. Nicodemo le dijo: ¿Cómo puede un hombre nacer siendo viejo? ¿Puede acaso entrar por segunda vez en el vientre de su madre, y nacer? Respondió Jesús: De cierto, de cierto te digo que el que no naciere del agua y del Espíritu no puede entrar en el Reino de Dios. Lo que es nacido de la carne, carne es; y lo que es nacido del Espíritu, espíritu es".   Juan 3:3-6

Esta es una porción de la Sagrada Escritura muy usada en los medios iniciáticos para representar la entrada del aspirante al mundo espiritual. Desgraciadamente se usa la Biblia para darle un carácter más serio a la ceremonia ya que, encontrar en la Palabra de Dios algo parecido al rito que se va a realizar, siempre le da más seguridad a la persona. Participar en un ritual en el que interviene La Muerte no sería algo fácil de aceptar si no se suavizara con la aparente aprobación de Dios. Aunque, como ya lo aseveramos anteriormente, el Verdadero y Único Dios no se presta a cualquier ceremonia aunque se mencione Su nombre. Él, sólo actúa en lo establecido por Él y de la manera en que Él lo decretó. En este versículo que citamos, Jesús está hablando del creyente que toma la decisión de invocar Su Espíritu en una sincera actitud de hacerlo Señor de su vida. En realidad esta llamada "Muerte Iniciática" es una conocida ceremonia que se celebraba en el antiguo Egipto.

Este rito no es de ninguna manera, una inofensiva enseñanza que nos lleva a reflexionar sobre nuestro destino postrero, ni tampoco una representación teatral sobre el asesinato de Hiram Abiff, sino una importante puerta para penetrar las dimensiones de las tinieblas.

En este ritual el aspirante es entregado al espíritu de La Muerte al entrar dentro del ataúd. La rama de acacia que sostiene sobre su pecho simboliza el "Falo engendrador", a través del cual recibe la energía luciferina.

Antiguamente se hacía entregando al iniciado a Anubis, el cual era resucitado por el poder de Osiris. Esta vivificación representa el ciclo solar, el cual empieza a decaer en otoño, para terminar muriendo en el invierno y renace nuevamente con más fuerza en la primavera. La leyenda cuenta que Osiris moría traicionado por Tifón después de haber recorrido el universo y era resucitado por Anubis, el dios de la muerte, que lo devolvía

Saludo de felicitaciones, después de pasar el proceso de iniciación en la logia masónica.

a la vida con un nuevo resplandor en el solsticio de verano, el 24 de Junio (una de las fechas claves en la Masonería).

La ceremonia iniciática del tercer grado es una invocación real para ser habitado por el poder y el espíritu de La Muerte. El Gran Secretario del Supremo Consejo para la Jurisdicción Sur dice, respecto a esta iniciación:

"Tifón dio muerte a Osiris encerrándolo en un ataúd. Y en seguida dividió su cadáver en varios trozos y los arrojó al Nilo. La viuda de Osiris, Isis, fue en busca de sus restos, y todos los encontró menos el "membrum virile". En conmemoración de esta pérdida se instituyó la adoración al "phalus", porque él solamente hace posible la reproducción".

Los Masones encuentran este "phalus" en el grado de maestro o tercer grado, bajo la designación de la palabra Mahabones[58]. Sin embargo, así como las leyes físicas nos afectan inexorablemente, aunque no estemos conscientes de ellas, también las leyes espirituales nos afectan, las conozcamos o no.

Es notable el gran desconocimiento que existe del mundo espiritual y de cómo nuestro espíritu es afectado tantas veces sin que nos demos cuenta. Quiero ilustrar esto poniendo el siguiente ejemplo: Una persona entra a un hospital de enfermos de SIDA tocando todo lo que ve, sin tomar ninguna precaución, ignorando las verdaderas características del lugar, siendo inyectada con una jeringa usada. Esta persona no tenía intención alguna de infectarse pero, lo quisiera o no, saldrá del lugar con el terrible virus circulando por su organismo. El aspecto anímico y emocional está igualmente propenso a contagios ya sean voluntarios o no. ¡Cuántos de nosotros, por ejemplo, hemos visto una película que ha tocado las áreas más débiles y sensibles del alma y nos hemos sentido afectados en mayor o menor grado!

---

58 Mackey Albert, *"Lexicon of Freemasonry"*, Kessinger Publishing, LLC, 1994, p. 249.

Pues si estos casos de contagio son posibles y reales, tanto para el cuerpo como para el alma, ¿qué nos hace presuponer que el espíritu, no pueda ser también afectado cuando lo sometemos a experiencias espirituales de esta magnitud?

En la exégesis del tercer grado hecha por el Maestro C.W. Leadbeater[59], se menciona:

"En el tercer grado como en los otros, el candidato se arrodilla bajo un triangulo mientras se invoca la bendición del Altísimo (Nombre que se le da en este grado al Gran Arquitecto del Universo). Es digno de mención que en la Masonería se prestan todos los juramentos dentro del mismo triángulo, en señal de que todo el hombre trino, con su cuerpo, alma y espíritu está tomando parte en la obra".

Quizá el aspirante esté plenamente consciente de lo que le está pasando a su cuerpo y tal vez medite en lo que han sufrido sus emociones y sentimientos durante el macabro proceso de esta iniciación. Pero tenga por seguro de que estará totalmente ignorante de lo que le pueda haber pasado en la parte más sutil e indefensa de todo ser, el espíritu. Pues, mientras él no sabe lo que le está sucediendo, el príncipe de las tinieblas, la oscuridad visible que ha sido invocada, no va a perder la oportunidad de penetrar y encadenar su espíritu.

---

59 Leadbeater, C.W: *"La Vida Oculta en la Masonería"*, Berbera Editores, 2005, pp. 288.

EL RITO DEL GRAN ORIENTE DE FRANCIA

El Rito Masónico del Gran Oriente de Francia es un claro ejemplo de infiltración y dominación espiritual. En este Rito, el velado disfraz, de organización de carácter benéfico, es arrancada de forma cínica y brutal. Se exponen con toda crudeza sus verdaderos orígenes y sus metas en contra del sistema establecido y de toda forma de religión o intento de acercamiento a Dios. En su paticular iniciación al tercer grado, el disfraz del drama sobre el asesinato de Hiram Abiff y sus tres verdugos es el semillero para engendrar en el alma del nuevo "Maestro" el espíritu del auténtico Masón. El comité de Instrucción, regido por el Supremo Consejo de Rito establece:

-"La orden debe quedar inmaculada, inaccesible a la sospecha. ¿No es ella la Gran

Vengadora del Gran Maestro asesinado? Su papel, ¿no es el de Gran Justiciero de la Humanidad?"

-"El Gran Maestro inocente, lo habéis presentido, es el Hombre que es Rey y Señor de la Gran Naturaleza, el hombre que nace inocente, puesto que nace inconsciente".

-"Nuestro Gran Maestro inocente había nacido para ser feliz; para gozar en toda su plenitud, de todos sus derechos sin excepción. Pero cayó bajo los golpes de tres asesinos, de tres infames que han levantado obstáculos formidables contra su bienestar y sus derechos, concluyendo por aniquilarle. Estos tres asesinos son: **La Ley, La Propiedad y La Religión**".

-"La Ley, porque es la armonía perfecta entre los derechos del Hombre aislado y los deberes del hombre social en la sociedad. La Propiedad, porque la tierra no pertenece a nadie, siendo sus productos para todos. La Religión porque las religiones no son sistemas filosóficos que se deben a hombre de genio; ni la ley, ni la propiedad ni la religión, pueden, pues, imponerse al HOMBRE; y como ellas le anulan y le privan de sus DERECHOS más preciosos, estos son los asesinos de los cuales hemos jurado tomar la más ruidosa venganza; estos son los enemigos a los cuales hemos jurado una guerra sin cuartel, una guerra a muerte".

-"De estos 3 enemigos infames, la **RELIGIÓN** es la que debe ser el objeto constante de nuestros mortíferos ataques, porque los pueblos jamás han sobrevivido a su religión y porque **matando a la Religión tendremos a nuestra merced la LEY y PROPIEDAD**, y porque estableciendo la religión masónica sobre los cadáveres de estos tres asesinos, así como la ley masónica y la propiedad masónica es como podremos regenerar a la sociedad".

-"Y como todos nuestros secretos masónicos están impenetrablemente ocultos bajo símbolos, los del Grado

Supremo a que habéis llegado se encuentran ocultos bajo el Símbolo de Nuestro Grado....debeis poner por vuestra parte el mayor número de probabilidades de buen éxito, a fin de consagraros enseguida eficazmente a la realización material de la doble divisa:

DEUS MEUMQUE JUS.
(Todos los derechos para nosotros)
ORDO AB CHAO
(A la nada los enemigos de la orden)

Estudiando la doble divisa a la que se consagra el Masón, descubrí un documento que fue expuesto en una reunión de los grados 32° y 33°, convocada en Paris en Octubre de 1885, por el muy poderoso soberano Gran Comendador del Escocismo. En éste se afirma lo siguiente:

-"La Orden reclama que se ponga en práctica inmediata el 'D.:M.:J.:´ Esotéricamente, o por fuera, 'D.:M.:J.:´son las iniciales de la divisa del grado 33°, Deus Meumque Jus, -Dios y mi derecho-. Esotéricamente, en lo secreto de la Orden, D.:M.:J.: son las iniciales de las palabras, **Destrucción, Materialización, Imposición,** las cuales ordenan: Imponer la Destrucción de todo aquello que no alcanza la Materialización (Gobierno a base de estímulos materiales con olvido de los espirituales)".

Los tres puntos (.:) que se ven en todos los trabajos masónicos y que son característicos en la firma personal de todo Masón significan:

- • DESTRUCCIÓN
-del Sobrenaturalis -de la Autoridad -del Antimasonismo
- • MATERIALIZACIÓN
-de la Conciencia -de la Enseñanza -del Estado
- • IMPOSICIÓN
-a la Familia -a la Nación -a la Sociedad

Implacable, sutil o descarado, Luzbel, el príncipe de las tinieblas, no ha cesado desde el principio de los tiempos de tejer su red con el propósito de alcanzar el gobierno mundial. Y para ello, qué mejor que satisfacer la sed del hombre espiritual con rituales que lo alejen del verdadero Dios. Y, por el otro lado, saciar al hombre cuyo único dios está en sí mismo, ofreciéndole lo que más desea: El poder y la gloria.

He hecho una breve narración de los grados primero y tercero, sin haber hablado del segundo, ya que, para lo que se pretende demostrar en este libro, este grado no tiene tanta relevancia. De hecho, en la Masonería los tres primeros grados, llamados "Grados Simbólicos", son aquellos cuya esencia es la que posee mayor importancia. Es en estos grados donde se enseña sin rodeos la teórica "pureza" del gnosticismo. Filosofía que se desarrollará con más detalle en el grado "Rosacruz", para finalmente llevarlo a la práctica en el grado 30 o de "Caballero Kadosh". (Ver Apéndice 1)

Poco a poco, paso a paso, grado a grado, a través de la ascensión en la escala de la estructura masónica, se va cultivando pacientemente su doctrina fundamental. Esta consiste, como lo estableció Zoroastro, en someter toda creencia a la razón humana para convertir al hombre en un ser convencido de que es un dios en si mismo. Una especie de suprahombre con la capacidad, el derecho y, aún más, con el deber de dictaminar el destino de la humanidad y de crear las más grotescas teorías filosóficas.

Cómo no estremecerse al descubrir una mente tan diabólicamente confundida entre las tinieblas, que es capaz de enarbolar como la gran bandera de su "fe", como su suprema "Verdad", la mescolanza que conforma su dogma: Una suma de todos los ritos paganos a los que se añaden las fantasías de las antiguas mitologías; las más inverosímiles leyendas y novelas literarias; los viajes creados por la desbocada imaginación de Dante; las hazañas de Hércules y las aventuras del Ulises, de la Ilíada y la Odisea de Virgilio.

Cómo no sentir un profundo rechazo y repugnancia por una Organización, que proclama, en aras de levantar el ego del hombre, la gran moral enseñada por Pike en el grado 30 o de "Caballero Kadosh"; "Yo, nada más que yo. Todo para mí, y esto por todos los medios, cualesquiera que sean".

El alma incauta que pretende encontrar el sentido de su existencia aniquilando a Dios y separándose de Él, el alma que encuentra su razón vital en la vanidad y en el poder, acaba perdida en el laberinto de las tinieblas. Confundida por la oscuridad se siente rica y sin necesidad de nada. Pero como dice El Señor en el libro de Apocalipsis, no es más que un alma pobre, miserable, ciega, desventurada y desnuda.

¿A dónde conducen estos fundamentos tan llenos de esoterismo y misterio de la Masonería, con sus rituales sacados de las temibles Órdenes de Caballería, para muchos cuentos de hadas, héroes y magos, pero infectados en la realidad de pactos satánicos y demonios vestidos de ángeles de luz? ¿Cuál es el fin de estas ceremonias mágicas llenas de sangre y de crímenes, escondidas tras el falso celaje de un misticismo aberrante? Una religión fanática y mítica recubierta por los poderes endulzantes y narcóticos de la poesía, la música y el color.

Ahí donde los más terribles libros de la antigua alquimia son insensatamente despertados para encadenar el alma y cegar el entendimiento. Ceremonias dedicadas al encuentro abominable con el mas allá, con el mundo prohibido de espíritus engañadores, que se abren como puertas majestuosas y seductoras, embriagando el espíritu ya cautivo para siempre con la magia de los Caballeros Templarios. Rituales donde se pierde toda proporción de la lógica y la sensatez; donde la línea entre el bien y el mal se convierte en una densa niebla de conceptos turbios y de símbolos tergiversados en los que el supuesto Santo Grial (copa en la que bebió Cristo en la última cena) se trasforma en una alucinante copa del pacto con el mismo Luzbel. Cultos en donde el alma, perdida, ciega y encadenada, se entrega fervorosamente a cualquier fantasía desbordante de mágicos sueños de esplendor, de poder y de gloria.

Infernales reuniones donde la Cruz del Calvario se convierte en la representación de los sexos que se han unido para la perpetua generación de todo lo existente. Los Caballeros Rosacruz, declaran que Dios nunca ha creado nada, sino que toda la creación proviene de la generación universal o, como lo plasma con infinita audacia Albert Pike, "todo es originado en Adonai el dios bisexual". Es en este grado donde todos los misterios cristianos son expuestos a la burla y mofa de los asistentes para forzar al iniciado a creer que el cristianismo es falso y se hace constantemente un uso blasfemo de la cruz.

La semilla es engendrada en el incauto y principiante Masón, para que el odio y la destrucción a todo lo que se oponga a su "noble doctrina" comience a echar raíces.

Luego, fructifica al punto de obtener el sublime derecho de matar y destruir todo lo que se oponga al reinado de la generación universal en que el Hombre será el Rey supremo del cosmos. (Instrucciones secretas de los Soberanos Grandes inspectores Generales para la conducta de las logias, capítulos y consejos. Por el Vizconde de la Jouquiere). Estas son, sin falsas cortinas de humo, las verdaderas aspiraciones para llegar al gran superhombre de la doctrina Masónica. Usar la razón es la gran exhortación de la Orden; y también la que le hago a usted, amado lector: Use la razón y el temor de Dios.

CONCLUSIÓN

UN MENSAJE PARA LOS QUE SE HAN INVOLUCRADO EN LA MASONERIA

Desde sus orígenes, la Masonería ha estado incubando incansablemente la semilla de su monstruosa abominación que hoy ya se encuentra a punto de hacer eclosión. Cada Supremo Concilio está en su lugar. Todas las estrategias han sido establecidas. El plan ha sido trazado. La gran hora está cerca. El momento tan esperado por las grandes cabezas de la Masoneria, los Soberanos Grandes Instructores está ya cerca de llegar a su más elevada expresión. Los francomasones tienen en sus manos un arma terrible que han ido construyendo con gran celo. Todas las piezas de su rompecabezas infame están en la posición correcta: Un taller se ocupa de una parte y cientos de obreros de otra, aunque casi todas ignoren el infernal conjunto a que han contribuido. Pero, todas las piezas se adaptan perfectamente unas a las otras; todos los engranajes se corresponden; todas las partes se relacionan y se complementan: "El Arma está creada". La economía del mundo está siendo ya unificada.

La gran mayoría de las escuelas y universidades ya han sido infiltradas por La Nueva Era, que es el pensamiento filosófico, humanista y gnóstico que se encargará de formar al Superhombre en cada persona. La "tolerancia Masónica" invade las estructuras de gobierno. Tolerancia a todo lo que ofende a Dios, con tal de respetar los derechos humanos.

Los juramentos y los pactos hechos por cada iniciado con Lucifer son indelebles. Millones de masones , millones de seguidores de los falsos cristos y de la doctrina iniciática, han quedado contaminados en su espíritu y atados a la condenación eterna. Y ¿Que harán esos grandes seres llenos de Gloria humana, ensoberbecidos de los más grandes títulos que jamás se hayan atribuido a hombre alguno: Sublimes

Caballeros, Príncipes de Jerusalén, Venerables, Soberanos, Padres de Verdad, Omnipotentes, como se les llama en algunos rituales?. Esos que se muestran implacables destructores del puro y santo mensaje de Jesucristo. ¿Qué van a hacer delante del "Gran Trono Blanco" cuando el papel de las grandes condecoraciones de la Logias se desmorone delante del libro de la Vida donde sus nombres no están inscritos?

No en vano la Escritura habla de ellos en la Segunda Epístola a Timoteo 3:1-8, donde dice:"...En los postreros días **vienen tiempos peligrosos**. Porque habrá hombres amadores de sí mismos, avaros , vanagloriosos, soberbios, blasfemos, implacables, calumniadores, intemperantes, crueles, aborrecedores de lo bueno, traidores, impetuosos, infatuados, amadores de los deleites más que de Dios, que tendrán apariencia de piedad pero negarán la eficacia de la misma; a éstos evita. Y de la manera que Janes y Jambres resistieron a Moisés, (Magos siervos de Faraón) así éstos también resisten a la verdad; hombres corruptos de entendimiento, réprobos en cuanto a la fe".

Todos los que están involucrados, todos los que han sido iniciados en las filas de la Masonería llevan la marca en el corazón; han bebido del caliz iniciático, caliz de magia, del que bebieron las antiguas Ordenes de Caballería y que el Aprendíz ingiere en su iniciación. La Biblia cita un pasaje que nos debe llevar a reflexionar :

*"Y oí otra voz del cielo que decía: **Salid de ella, pueblo mío**, para que no seáis partícipes de sus pecados, ni recibáis parte de sus plagas; porque sus pecados han llegado hasta el cielo, y Dios se ha acordado de sus maldades. Dadle a ella como ella os ha dado, y pagadle doble según sus obras; en el cáliz en que ella preparó bebida, preparadlea ella el doble".* *Apocalipsis 18:4-6*

Pido al Espíritu Santo de Dios que si este testimonio le ha alumbrado los ojos del entendimiento, le dé también un profundo arrepentiemiento para venir a Aquél que es el único que le puede librar de las cadenas con que satanás lo tiene esclavizado, para arrastrarlo a la condenación eterna. Este es Jesucristo, el hijo de Dios, quien dijo; "Yo soy el Camino, la Verdad y la Vida, nadie viene al Padre sino por mi". Este camino fue abierto por medio de Su propia carne que fue desgarrada por nuestros pecados y por Su sangre que nos limpia de toda maldad. Sólo Jesucristo puede librarlo. Y no estoy hablando de ninguna religión, sino de una relación personal con el Espíritu de Vida, una comunión real de espíritu a Espíritu. El verdadero Templo de Dios le está esperando. El único lugar Santísimo donde puede venir a morar la presencia de Dios…."Un corazón contrito y humillado".

Hay gente de Dios involucrada en esta Gran Mentira forjada por el diablo. Hay incluso hombres y mujeres que sirven a Dios en algunas iglesias, sacerdotes, pastores y diáconos que se han dejado envolver por esta seductora mentira del "Angel de Luz". Supuestos siervos de Dios, y digo supuestos porque no se puede servir a dos amos, o queda uno bien con uno y mal con el otro, o viceversa. Dios no comparte su Gloria con nadie. Dios no da por inocente al que conociendo Su palabra y Su Nombre, se deja enredar en las filar de Lucifer. Juzgue usted mismo. Dios ha dejado su voluntad escrita a todos los hombres. Jesús dijo:

"…Yo no he venido a condenar al mundo sino a salvarlo… la palabra que yo he hablado, ella os juzgará en el día postrero".

Juan 12:47-48

¿Pasará Dios por alto la Gran Abominacion de la Masoneria? Para usted, quizá sea un juego de niños el hecho de mezclarse con dioses ajenos, de creer en la reencarnación y en la astrología o de invitar huestes espirituales a que entren a habitar en su ser a través del control mental. Pero lo que usted estima sin importancia, no lo es ni para Lucifer, ni mucho menos para Jehová.

Dios dice con tal claridad:

"Oh almas adúlteras! ¿No sabéis que la amistad con el mundo es enemistad contra Dios? Cualquiera, pues, que quiera ser amigo del mundo, se constituye enemigo de Dios". Santiago 4:4

Es doloroso ver a hombres y mujeres, que se dicen ser de Dios, confiando en los favores de los masones más que en Dios en el que dicen creer, buscando las respuestas, o las puertas abrirse, por el poder de la Masonería y no por el de Dios; buscando la sabiduría en los Misterios demoníacos; proclamando ser un profano que busca la Luz de la Masonería y negando así la única luz verdadera que es Jesucristo mismo.

Dios no es un juego ni Su Verdad algo que pueda mezclarse sin consecuencias espirituales. El es Justicia y Santidad. Su Misericordia se extendió a todos los hombres por medio de su hijo Jesucristo, a quién el Padre envió como el sacrificio perfecto y aceptable por los pecados. Todos los que le acepten como su verdadero Señor y Salvador de sus almas, serán redimidos.

Dios quiere salvarle en este día. Tal vez usted esté temeroso por los juramentos que ha hecho y por las terribles amenazas y maldiciones que pudieran venirle si usted rompe estos pactos. Quiero decirle que Jesús le ama y se dejó clavar en una cruz, llevando en Su cuerpo horadado la maldición que está sobre usted.

Escrito está:

"El Hijo de Dios fue manifestado para deshacer las obras del diablo". (1 Juan 3:8) y también "Asi que, por cuanto los hijos participaron de carne y de sangre, (esto es en la naturaleza física del hombre) él también participó de lo mismo, para destruir por medio de (pasar por) la muerte al que tenía el impero de la muerte, esto es, el diablo, y librar a todos los que por el temor de la muerte estaban durante toda la vida sujetos a servidumbre". Hebreos 2:14-15

La manera de venir a Dios es invocar Su Nombre, esto es, pedirle que entre a habitar el templo del Espíritu que es nuestro ser interior. Pedírselo con un corazón arrepentido, con una decisión firme y sincera de dejar los pecados pasados incluyendo la Masonería. El dijo:

"Si se humillare mi pueblo, sobre el cual mi nombre es invocado, y oraren, y buscaren mi rostro, y se convirtieren de sus malos caminos; entonces yo oiré desde los cielos y perdonaré sus pecados y sanaré su tierra."   *2 Crónicas 7:14*

La salvación del alma no consiste nada más en hacer una oración, sino en consagrar la vida a Dios y vivir todos los días en Su verdad. Cristo dijo:

"He aquí yo vengo pronto, y mi galardón conmigo, para recompensar a cada uno según sea su obra. Yo soy el Alfa y la Omega, el principio y el fin, el primero y el ultimo. Bienaventurados los que lavan sus ropas, para tener derecho al árbol de la vida, y para entrar por las puertas de la ciudad. Mas los perros estarán fuera, y los hechiceros, los fornicarios, los homicidas, los idólatras, y todo aquel que ama y hace mentira. Yo Jesús he enviado a mi angel para daros testimonio de estas cosas en las iglesias. Yo soy la raíz y el linaje de David, la estrella resplandeciente de la mañana. Y el Espíritu y la Esposa dicen: Ven. Y el que oye, diga: Ven. Y el que tiene sed, venga; y el que quiera, tome del agua la vida gratuitamente".
Apocalipsis 22:12-17

Quienes sin haber sido Masones estan siendo afectados por las maldiciones de la Orden.

Desgraciadamente no sólo son afectados los que son o han sido masones, sino sus hijos y toda su descendencia. Al tratar con miles de personas que vienen a nosotros buscando liberación me di cuenta de la cantidad de gente que está sufriendo las consecuencias y las maldiciones que vienen a través de la Masonería. Quizás usted querido lector sea una víctima inocente de entre ellos. Verifique conmigo la siguiente lista y si se encuentra entre estos casos proceda a hacer la oración de renuncia del capítulo siguiente.

1.-Si alguien entre sus antepasados fue masón, tenga por seguro que usted bajo esta influencia pagando un precio que no tiene porqué pagar. Enfermedades, ruina, desgracias de todo tipo, terror repentino, accidentes son varias de las consecuencias que se heredan de la masonería.

2.-Si usted desconoce la historia de sus ancestros, pero hay alguien entre sus hermanos, primos, o tíos que estén involucrados con esta orden, esto es un claro indicador que entre sus antepasados hay Masonería. Estos parientes cercanos se sintieron atraídos por esta sociedad secreta porque lo traían en la sangre.

3.-Si usted está o ha estado bajo una autoridad espiritual, pastor o sacerdote que es masón, usted ha sido víctima de una contaminación espiritual proveniente de los espíritus de ocultismo que están en dicha autoridad.

4.-Si usted está asociado a una institución de Benevolencia asociada con masonería.

5.-Si usted ha hecho juramentos o firmado documentos aprobando decisiones masónicas en la política o en el comercio.

6.-Si usted forma parte de una Orden de Caballería, y le han hecho algún ritual para investirlo "Caballero". O ha sido investido de algún don espiritual a través de ritual "Caballería" usando espadas. (Mucha gente se involucra en este tipo de clubes aparentemente sociales, sin darse cuenta lo que está atrás).

7.- Si usted pertenece o perteneció a clubes como los "Boys Scouts". Los juramentos y rituales que ahí se hacen son masónicos.

8.- Si usted o alguno de sus ancestros ha sido militar y ha sido condecorado. Muchas de estas preceas son de origen masónico.

CÓMO SER LIBRES DE LA MASONERÍA Y SU INFLUENCIA

Los pactos hechos en la Masonería son serios y complejos y sus maldiciones involucran toda una línea generacional.

Es importante quebrantar conscientemente cada uno de ellos. Hacerlo con profundo arrepentimiento y creyendo que la Sangre de Jesús los rompe.

Aquí hay una lista, grado por grado, de todo lo que tiene que ser cancelado y quebrantado. Quizás usted sólo estuvo involucrado en los primeros grados, le recomiendo que los quebrante todos, ya que usted declaró que eran "uno para todos y todos para uno".

Tal vez usted nunca estuvo involucrado en esta Orden, pero

alguien en su familia lo está o lo estuvo y esto produce que estos pactos con sus maldiciones le están afectando.

Tal vez usted esté bajo la sujeción de un pastor, un sacerdote o un líder que eso fue masón, desgraciadamente lo que viene del liderazgo afecta a todos los que están debajo de él.

LIBERACIÓN DE LA MASONERÍA

Permítame guiarle en una oración exhaustiva, para ser libre de todo pacto y maldición proveniente de esta Orden.

Sólo se puede salir de la Masonería por medio del poder de Jesucristo. Una vida que primeramente no haya sido consagrada a Él, no encontrará la libertad que anhela. Por lo que le sugiero que antes que nada le entregue su vida al Hijo de Dios. Reconozca el sacrificio de la Cruz como única fuente de salvación y redención por sus pecados. Arrepiéntase profundamente de su involucración en la Masonería y de todos sus pecados. Finalmente en sus propias palabras invoque el Nombre de Jesucristo, para que venga a morar en su corazón. Una vez hecho esto, creyendo de todo corazón, haga un pacto con Él, de seguirlo y obedecer Su Palabra con la ayuda del Espíritu Santo. Busque la ayuda de una congregación Cristiana que le guíe en su Nuevo caminar al lado de Cristo.

ORACIÓN

Renuncio a toda posición que obtuviera en la Logia cualquiera de mis antepasados o yo mismo, incluyendo la de "maestro", "venerable maestro", o cualquier otra. Renuncio a llamar a algún hombre "maestro", porque Jesucristo es mi único Maestro y Señor, y Él prohíbe que alguien más lleve ese título. Renuncio a hacer caer a otros en la trampa de la

Masonería, y a observar la desesperanza de otros durante los ritos. Renuncio a los efectos de la masonería que me transmitiera alguna antepasada cuyo marido la hubiera hecho sentir rechazada e indigna de confianza, cuando él entró y asistió a alguna logia y se negó a hablarle a ella de sus actividades secretas.

También renuncio a todas las obligaciones, maldiciones y juramentos promulgados por todos los miembros femeninos de mi familia a través de cualquier membresía directa con las Órdenes Femeninas de Francmasonería, la Orden de Estrellas del Oriente, o de cualquier otra orden masónica u organización ocultista.

En el nombre de nuestro Señor Jesucristo, yo renuncio y abandono todo aquello que me involucre en la Masonería y a cualquier logia, arte, u ocultismo de parte de mis ancestros y de mí mismo. También renuncio y quebranto el código de silencio impuesto por la Masonería y el Ocultismo para con mi familia y para conmigo.

Renuncio y me arrepiento de todo el orgullo y arrogancia que abrieron las puertas para la esclavitud y las ataduras de la Masonería para afligirme a mí y a mi familia.

Grado 1 "Aprendiz"

-Yo renuncio a los pactos del primer grado. A la declaración de estar en tinieblas y que la única luz proviene de la Masonería.

-Renuncio al lazo alrededor del cuello y a las maldiciones sobre mi garganta y mi lengua. Al miedo a quedar atrapado, a la claustrofobia, a los espíritus que producen asma, fiebre de Heno, alergias respiratorias, y enfermedades respiratorias.

-Renuncio a la serpiente en el broche sobre el mandil, y al espíritu de pitón, el cual llegó a exprimir de mí la vida espiritual. Renuncio a la antigua enseñanza pagana de Babilonia y Egipto y al simbolismo del primer tablero de calcar. Renuncio a la mezcla y fusión de la verdad y el error, la mitología, a la fabricación de mentiras enseñadas como verdades, y a la falsedad, hechas por los líderes como la verdadera comprensión del rito, y a la blasfemia de este grado de francmasonería.

- Renuncio al Hoodwink o capucha de tinieblas, a la venda sobre mis ojos y sus efectos sobre mi vista, emociones, temor a la oscuridad, confusión, temor a la luz, y a los ruidos repentinos.

-Renuncio a la bebida dulce y a la bebida amarga y cancelo la maldición de amargura sobre mi vida. Y a la maldición del Gran Arquitecto del Universo, por dejar la Masonería.

-Renuncio a la palabra secreta "Boaz" y a todo lo que significa, a toda maldición y enfermedad sobre el útero.

-Renuncio al punto de compás, a la espada o lanza sostenida sobre mi pecho, al temor a la muerte, y al temor al apuñalamiento, y a los ataques cardiacos.

-Renuncio y corto toda ligadura y protección de los espíritus elementales (Fuego, Agua, Aire y Tierra).

-Renuncio a los símbolos de la masonería y a su poder sobre mi vida y la de mis descendientes: A la escuadra, al compás, al martillo, al nivel, al cincel, a la regla, al pentagrama, al hexagrama, al octograma, (estrellas de 5, 6, 8 puntas) y a la estrella de doce puntas, a la cobertura del mandil, a la espada flamígera y a todos los símbolos de dualidad.

- Renuncio al Gran Arquitecto del Universo con todos sus nombres.

-Renuncio a la confidencialidad absoluta exigida bajo un juramento de brujería y sellado al besar el volumen de la sagrada Ley.

-Desato mi destino que fue atado a la piedra en bruto y a la piedra pulida.

-Ordeno que todo cautiverio en que mi alma haya quedado atrapada en las tres regiones del infierno, sea destruido. Ordeno a mi alma salir en libertad.

-Rompo el pacto de unidad que hice con toda la fraternidad masónica.

-Quebranto el pacto firmado con mi sangre con el que me

hice miembro de la orden.

-Renuncio a toda maldición y a toda enfermedad en mi sangre. Declaro una transfusión de la Sangre de Jesús en mis venas, limpiando toda mi sangre.

-Renuncio al orgullo de carácter comprobado y buen prestigio exigidos para unirme a la francmasonería, y a la consecuente justicia propia de ser suficientemente bueno para estar ante Dios sin la necesidad de un Salvador.

-Pongo bajo el gobierno absoluto de Jesucristo, mi garganta, cuerdas vocales, sistema respiratorio.

-Renuncio al poder de todos los símbolos masónicos. Y decreto que su influencia no tocará mi vida, ni la de mi familia.

Grado 2 "Compañero"

-En el nombre de Jesucristo renuncio a los juramentos y las maldiciones involucradas en el segundo grado o comunión de destreza de la masonería, especialmente las maldiciones sobre el corazón y el pecho.

-Renuncio a las palabras secretas SHIBOLET y JACIN y a todo lo que significan. Renuncio a la antigua enseñanza pagana y el simbolismo del segundo tribunal de investigación.

-Renuncio a la señal de reverencia al principio generativo.

-Renuncio a toda la geometría mágica, al espíritu de Platón y de Pitágoras.

-Corto la insensibilidad emocional, la apatía, la indiferencia, la incredulidad y la ira profunda en mí y en mi familia, en el nombre de Jesucristo.

-Oro por sanidad de pecho, pulmones y área del corazón y también por sanidad de mis emociones, y pido que me vuelva sensible al Espíritu Santo de Dios.

Grado 3 "Maestro"

-Renuncio, en el nombre de Jesucristo, a los juramentos tomados y a las maldiciones involucradas en el tercer grado o grado maestro de la masonería, especialmente las maldiciones sobre el estómago y el área del vientre. Renuncio a las palabras secretas MAHA BONE (HESO DE MAHA) TUBAL CAIN y MACHABEN, MACHBINNA y a todo lo que significan.

-Renuncio a la antigua enseñanza y al simbolismo del tercer tribunal de investigación usado en el rito. Renuncio al espíritu de muerte representado como rito de asesinato, al miedo a la muerte, al falso martirio, al temor de violento ataque de pandillas, al asalto o violación, y a la impotencia de este grado.

-Renuncio al pacto de muerte que hice al entrar en el féretro o en la camilla involucrada en el ritual de muerte.

-Ordeno que mi alma salga fuera de todo cautiverio de muerte a través de esta ceremonia.

-Renuncio al espíritu de Hiram Abiff, el falso salvador de los masones, revelado en este grado.

-Renuncio a la falsa resurrección.

-En el nombre de Jesucristo, oro por la sanidad de estómago, de la vesícula, el vientre, el hígado y cualquier otro órgano de mi cuerpo afectado por la masonería, y pido que la misericordia y el entendimiento de Dios se liberen para mí y mi familia.

-Renuncio al rito pagano del "punto dentro de un círculo," con todas sus ataduras y adoración fálica. Renuncio al símbolo «G» y sus simbolismos y ataduras paganas ocultas. Renuncio al misticismo ocultista de los mosaicos negros y blancos del piso a cuadros con el borde teselado y la resplandeciente estrella de cinco puntas.

-Renuncio al ojo que lo ve todo, y al tercer ojo u ojo de Horus en la frente y su simbolismo pagano y ocultista. Cierro ahora ese tercer ojo y toda la capacidad oculta de ver dentro del reino espiritual, en el nombre del Señor Jesucristo, y pongo mi confianza en el Espíritu Santo para todo lo que necesito saber en los asuntos espirituales.

-Renuncio a todas las falsas comuniones tomadas, a toda mofa de la obra redentora de Jesucristo en la cruz del Calvario, a toda incredulidad, confusión y depresión.

-Renuncio y abandono toda mentira de la francmasonería

de que el hombre no es pecador, sino simplemente imperfecto, y que también se puede redimir a si mismo por medio de las buenas obras.

-Renuncio a todo temor de locura, angustia, deseos de muerte, suicidio y muerte, en el nombre de Jesucristo.

-Renuncio a toda ira, odio, pensamientos de asesinato, venganza, represalias, apatía espiritual, falsa religión, toda incredulidad, especialmente hacia la Santa Biblia como la Palabra de Dios, y a toda condescendencia de la Palabra de Dios.

-Renuncio a toda búsqueda espiritual dentro de falsas religiones.

-Renuncio a la muerte iniciática y al espíritu de la muerte.

-Ordene que todo espíritu de muerte salga de su vida, en el Nombre de Jesucristo. Ponga sus manos sobre su cabeza, luego en la nuca y luego en la frente, y diga:

-Yo cierro toda puerta espiritual que fue abierta en esta ceremonia, por mí o por mis ancestros.

-Declaro sanidad, sobre mi estómago, vesícula biliar, intestinos, hígado y sobre todo mi sistema digestivo, en el nombre de Jesucristo.

Grados Capitulares

-Renuncio y abandono los juramentos y las maldiciones involucradas en el grado "Ritual York" de la Masonería.

-Renuncio a la marca de la Logia, y a la marca en forma de cuadrados y ángeles que señala a la persona de por vida.

-También rechazo y renuncio a la joya o talismán ocultista que fue hecho con esta señal y que se usa en las reuniones de la Logia; renuncio al grado de maestro marcado con su palabra secreta JOPPA, y· a sus castigos de tener el oido derecho atormentado y a la maldición de sordera permanente, así como a que se me cercene la mano derecha por ser un impostor.

-Renuncio y abandono los juramentos hechos y las maldiciones involucradas en los demás grados del "Rito de York", entre ellos el de maestro del pasado, con el castigo de que se me parta la lengua de la punta a la raíz.

-Renuncio al grado de maestro de mayor excelencia, cuyo castigo es que me abran el pecho, saquen mis órganos vitales y los expongan hasta que se pudran en el estercolero.

-Renuncio a los títulos, con sus pactos, y maldiciones de todos los grados capitulares de la Masonería encarnada, que son:

Grado 4: "Maestro Secreto"

-Renuncio a los juramentos hechos, a las maldiciones y a los castigos involucrados en las Logias Estadounidense y Oriental, incluyendo el grado de Maestro Secreto, su contraseña secreta ADONAI, y sus castigos.

Grado 5: "Maestro Perfecto"

-Renuncio al grado de Maestro Perfecto, de su contraseña secreta MHAHAH- BONE, y su castigo de ser golpeado contra la tierra en medio de un ataque.

Grado 6: "Secretario Intimo"

-Renuncio al grado de Secretario Intimo, a su contraseña JEHOVÁ, usada de modo blasfemo, y a su castigo de que me disequen el cuerpo y de que corten mis órganos vitales en pedazos y los arrojen a las fieras del campo.

Grado 7: "Preboste", o "Rector" y "Juez"

-Renuncio al grado de Rector y Juez, a su contraseña secreta HIRUMTITO- CIVI-KY, y al castigo de que se me corte la nariz.

Grado 8: "Intendente de los edificios"

-Renuncio al grado de Edificador, a su contraseña secreta AKAR-JAI-JAH, y al castigo de que me saquen los ojos, me corten el cuerpo en dos y dejen al descubierto mis intestinos.

Grado 9: "Maestro Elegido de los Nueve"

-Renuncio al grado de Caballero Elegido de los Nueve, a su contraseña secreta NEKAM NAKAH, y a su castigo de que me corten la cabeza y me cuelguen del poste más alto en el oriente.

Grado 10: "Maestro Elegido de los Quince"

-Renuncio al grado Décimo Quinto de Ilustre Elegido, con su contraseña secreta ELIGNAM y su castigo de abrir mi cuerpo perpendicular y horizontalmente con las entrañas al aire libre por ocho horas para que las moscas pueden atacarlas, además de cortarme la cabeza y colocarla en una cumbre elevada.

Grado 11: "Sublime Caballero Elegido"

-Renuncio al grado de Sublime, Caballero Elegido de los Doce, a su contraseña secreta STOLKIN-ADONAI, y a su castigo de cortarme las manos en dos.

Grado 12: "Gran Maestro Arquitecto"

-Renuncio al grado de Gran Maestro y Arquitecto, a su contraseña secreta RAB-BANAIM y a sus castigos.

Grado 13: "Gran Maestro del Santo Arco Real"

-Renuncio al grado de Caballero del Noveno Arco de Salomón, a su contraseña secreta JEHOVÁ, y a su castigo de entregar mi cuerpo como presa a las bestias del bosque y que el cerebro quede expuesto al sol ardiente.

-Renuncio al falso nombre secreto de Dios, JAHBULON, y declaro rechazo total a la adoración de los falsos dioses paganos, Bul o Baal y On u Osiris. También renuncio a la contraseña AMMI RUJAMÁ y a todo lo que significa.

-Renuncio a la falsa comunión o Eucaristía hecha en este grado, y a toda burla, escepticismo e incredulidad acerca de la obra redentora de Jesucristo en la Cruz del Calvario. Corto todas esas maldiciones y sus efectos sobre mi vida y mi familia, en el nombre de Jesucristo, y oro por sanidad de la mente, el cerebro, etc.

-Renuncio y abandono los juramentos y las maldiciones involucradas en el grado de Maestro Real del Rito York, al grado de Maestro Selecto con su castigo de que se me corten las manos hasta los muñones, se me arranquen los ojos de sus cuencas y que descuarticen mi cuerpo y lo tiren a la basura del templo.

-Renuncio y abandono todos los juramentos y maldiciones involucrados en el grado de Maestro Súper Excelente, junto con el castigo de que se me corten los dedos pulgares, me saquen los ojos y aten mi cuerpo con cadenas y grillos, y que me lleven cautivo a una tierra extraña.

-Renuncio a la Orden de los Caballeros de la Cruz Roja, junto con el castigo de que se derribe mi casa y que mi cuerpo cuelgue de las vigas.

-Renuncio al grado de los Caballeros Templarios y a las palabras secretas KEB RAIOTH, y también al grado Caballeros de Malta y a las palabras secretas MAHER-SHALAL-HASH-BAZ.

-Renuncio a los votos hechos sobre una calavera humana, a las espadas cruzadas y a la maldición y al deseo de muerte de Judas de que me corten la cabeza y la coloquen en la punta del capitel de una iglesia.

-Renuncio a la comunión impía y especialmente a beber en un cráneo humano en muchos ritos.

Continuación de Grados Capitulares.

Renunciar a los títulos y a los pactos y sus maldiciones de los siguientes grados:

Grado 14 "Gran Elegido, Perfecto o de la Bóveda Sagrada Sublime Masón"

-Renuncio al grado de Gran Elegido, Perfecto y Sublime Masón, a su contraseña secreta y a su castigo de que se abra mi cuerpo y se entreguen mis intestinos como alimento para los buitres.

CONCILIO DE PRÍNCIPES DE JERUSALÉN

Grado 15 "Caballero de Oriente o de la Espada"

-Renuncio al grado de Caballero de Oriente, a su contraseña secreta RAPH-0-DOM, y a sus castigos.

Grado 16 "Príncipe de Jerusalén"

-Renuncio al grado de Príncipe de Jerusalén, a su contraseña secreta TEBET-ADAR y a su castigo de ser desnudado y que horaden mi corazón con una daga ritual.

Grado 17 "Caballero de Oriente"

Grado 18 "Príncipe Soberano, Rosa Cruz o Caballero Rosa Cruz"

-Renuncio a los pactos tomados y a las maldiciones hechas con el más Sabio Supremo Caballero Pelícano y del Águila y del Príncipe Soberano Rosa Cruz del Heredom.
-Renuncio a toda la brujería Rosacruciana y la Kabbala.
-Renuncio al dicho que la muerte de Jesucristo fue una "Horrenda Calamidad" y a la burla deliberada de la doctrina Cristiana de la expiación.
-Renuncio a la blasfemia en contra de Jesucristo y a las palabras secretas IGNE, NATURA, RENOVATUR, INTEGRA.
-Renuncio a la burla de la comunión hecha en este grado.

Grados Filosóficos o Grados Kadosh (Masonería Negra)

Concilio de Kadosh

Grado 19: "Gran Pontífice de la Jerusalén Celeste o Sublime Escocés"

-Renuncio a los juramentos hechos y a las maldiciones y castigos involucrados en el grado de Gran Pontífice, su contraseña secreta EMMANUEL y sus castigos.

Grado 20: "Venerable Gran Maestro de las Logias Simbólicas"

-Renuncio a los Juramentos del grado de Gran Maestro de las Logias Simbólicas, a sus contraseñas secretas JEKSON y STOLKIN, y a sus castigos.

Grado 21: "Caballero Prusiano o Patriarca Noaquitas"

-Renuncio a los pactos y juramentos del grado de Caballero Noaquita de Prusia, su contraseña secreta PELEG, y a sus castigos.

Grado 22: "Príncipe de Líbano o Caballero del Arco Real"

-Renuncio a los pactos y juramentos del grado de Caballero del Arco Real, a su contraseña secreta NOEBEZALEEL-SODONIAS y a sus castigos.

Grado 23: "Jefe del Tabernáculo"

-Renuncio a los pactos y juramentos del grado de Jefe del Tabernáculo, su contraseña secreta URIELJEHOVÁ, y a su castigo de que estoy de acuerdo en que la tierra se abra y me trague hasta el cuello para que muera.

Grado 24: "Príncipe del Tabernáculo"

-Renuncio a los pactos y juramentos del grado de Príncipe del Tabernáculo, y a su castigo de que yo debería ser apedreado hasta morir y que mi cuerpo no se entierre para que se pudra.

Grado 25: "Caballero de la Serpiente de Bronce"

-Renuncio a los pactos y a los juramentos del grado de Caballero de la Serpiente de Bronce, su contraseña secreta MOISÉS-JOHANNES, y su castigo de que serpientes venenosas deben comer mi corazón.

Grado 26: "Príncipe de la Gracia o de la Misericordia o Escocés Trinitario"

-Renuncio a los pactos y a los juramentos del grado de Príncipe de Misericordia, su contraseña secreta GOMEL, JEHOVA-JACHIN, y su castigo de condenación y maldad por todo el universo.

Grado 27: "Gran Comendador del Templo"

-Renuncio a los pactos y a los juramentos del grado de Caballero Comandante del Templo, su contraseña secreta SALOMÓN, y su castigo de recibir la más severa ira del Todopoderoso Dios infligida sobre mí.

Grado 28: "Caballero del Sol"

-Renuncio a los pactos y a los juramentos del grado de Caballero Comandante del Sol, o grado de Príncipe Adepto, su contraseña secreta STIBIUM, y sus castigos de hacer que empujen mi lengua con un hierro al rojo vivo, que arranquen mis ojos, que me quiten mis sentidos de olfato y oído, de que corten mis manos y en esa condición ser dejado para que los animales voraces me destrocen, o de ser ejecutado por rayos del cielo.

Grado 29: "Gran Escocés de San Andrés"

-Renuncio a los pactos y a los juramentos del grado de Caballero Escocés de San Andrés, su contraseña secreta NEKAMA-EURLAC, y sus castigos.

Grado 30: "Gran Pontífice del Concilio Kadosh o del Aguila Blanca y Negra"

-Renuncio a los pactos y a los juramentos del grado de Gran Pontífice del Concilio de Kadosh, su contraseña secreta EMMANUEL, y sus castigos.

Grados Sublimes

Grado 31: "Gran Inspector Inquisidor Comendador"

-Renuncio a los pactos y a los juramentos hechos y a las maldiciones involucradas en el grado treinta y uno de la masonería, el Gran Caballero de Kadosh y Caballero del Águila Negra y Blanca. Renuncio a la contraseña secreta STIBIUM ALCABAR, PHARASH-KOH y a todo lo que significan.

-Renuncio a todos los dioses y diosas de Egipto que se honran en este grado, incluyendo Anubis con la cabeza de carnero, Osiris el dios sol, Isis la hermana y esposa de Osiris y también la diosa luna.

-Renuncio al Alma de Queres, el símbolo falso de la inmortalidad, a la cámara de la Muerte y a la falsa enseñanza de la reencarnación.

-Renuncio a Lucifer y a su doctrina.

Grado 32: "Sublime y Valiente Príncipe del Secreto Real"

-Renuncio a los Pactos y a los juramentos de este grado al igual que a sus maldiciones y castigos de este grado: el Príncipe Sublime del Secreto Real. Renuncio a las contraseñas secretas FAAL/FARASH-KOL y a todo lo que significan. Renuncio a la falsa deidad trinitaria masónica AUM y a sus partes: Brahma el creador, Vishnu el preservador y a Shiva el destructor. Renuncio a la deidad de AHURA-MAZDA, el espíritu solicitado o la fuente de toda luz, y a la adoración con fuego, lo cual es una abominación para Dios, y también a beber de un cráneo humano en muchos ritos.

Grado 33 y Supremo

-En el nombre de Jesucristo renuncio a los juramentos hechos y a las maldiciones involucradas en el grado trigésimo tercero de francmasonería y al Gran Inspector General Soberano. Renuncio a las contraseñas secretas, DEMOLAY-HIRUM ABIFF, FEDERICO DE PRUSIA, MICHA, MACHA, BEALIM y ADONAI y a todo lo que significan. Renuncio a todas las obligaciones de todos los grados masónicos y a todos los castigos invocados.

-Renuncio y abandono por completo al Gran Arquitecto del Universo, quien en este grado se revela como Lucifer, y a su falsa declaración de tener la paternidad universal de Dios. Renuncio al collarín. Renuncio al deseo de muerte, que el vino bebido por un esqueleto humano debe convertir en veneno y al esqueleto cuyos brazos fríos están invitados si se viola el juramento de este grado.

-Renuncio al nudo de cuerda alrededor del cuello.

-Renuncio a los infames asesinos de su gran maestro, la ley, la propiedad y la religión, y a la codicia y la brujería involucradas en el intento de manipular y dominar al resto de la humanidad.

En el nombre de Dios el Padre, de Jesucristo su Hijo, y del Espíritu Santo, renuncio a las maldiciones involucradas con idolatría, blasfemia, confidencialidad y engaño de la francmasonería en todos los niveles, y me apropio de la sangre de Jesucristo para limpiar todas las consecuencias de esto en mi vida. Ahora reprendo todos los consentimientos anteriores dados por cualquiera de mis antepasados o por mi mismo para ser engañados.

Shriners
(Se aplica solamente en Estados Unidos)

-Renuncio a los juramentos hechos y a las maldiciones y castigos involucrados en la Antigua Orden Árabe de los Nobles del Santuario Místico. Renuncio a que me atraviesen los globos oculares con una hoja de tres filos, a que me despellejen los pies, a la locura, y a la adoración del falso dios Alá como el dios de nuestros padres. Renuncio al engaño, a la práctica de colgar, de decapitar, de beber sangre de la víctima, de ser orinado por perros en la iniciación y a la ofrenda de orina como una conmemoración.

Todos los demás Grados

-Renuncio a todos los demás juramentos hechos, a los rituales de cualquier otro grado y a las maldiciones involucradas. Estos incluyen grados de Aliados, la Cruz Roja de Constantino, la Orden del Escucha Secreto, y la Orden Real Masónica de Escocia.

-Renuncio a todas las demás logias y sociedades secretas incluyendo La Masonería del Príncipe Hall, las Logias del Gran Oriente, Mormonismo, La Orden de Amaranto, la Real Orden de Jesters, la Orden de la Fraternidad de la Unidad de Manchester, Búfalos, Druidas, Arboleros, Loyal Orange, las Logias Negro y Morado, las Logias de Alces, Antas, y Águilas, el Ku Klux Klan, La Grange, los Taladores del Mundo, los Jinetes de la Toga Roja, los Caballeros de Pythia, la Orden Mística de los Profetas Escondidos del Reino Encantado, las Órdenes de Mujeres de la Estrella del Este, las Damas del Nicho Oriental y del Nicho Blanco de Jerusalem, las Órdenes de Niñas de Las Hijas de la Estrella del Este, la Orden Internacional de las Hijas de Job, del Arcoiris, y la Orden de Niños de De Molay, y sus efectos en mí y toda mi familia.

Señor Jesús, porque deseo ser totalmente libre de todas las ataduras ocultistas, Yo quemaré o destruiré todos los objetos de mi posesión que me conecten a toda logia u organización ocultista, incluyendo masonería, brujería y mormonismo, y todo adorno, delantal, libro de rituales, anillos y cualquier joyería. Renuncio a los efectos de estos y otros objetos de masonería, incluyendo al compás y la escuadra, que yo haya tenido o mi familia, en el nombre de nuestro Señor Jesucristo.

-Renuncio a todos los espíritus inmundos asociados a la masonería y la brujería y cualquiera otro pecado, y ordeno en el nombre de nuestro Señor Jesucristo, que satanás y todos sus espíritus sean atados y echados fuera de mí ahora, sin tocar ni lastimar a nadie, e irse al lugar señalado por nuestro Señor Jesucristo, para nunca regresar a mí o a mi familia. Acudo al nombre de nuestro Señor Jesucristo para ser liberado de estos espíritus, de acuerdo a las muchas promesas de la Biblia. Pido ser liberado de todo espíritu de enfermedad, maldición, aflicción, adicción, mal o alergia asociados a estos pecados que he confesado y renunciado.

Puntos finales en la sesión de liberación. Es necesario realizar por fe las siguientes acciones:

1 -Quite, simbólicamente, las vendas de los ojos (engaños) y decrete que son quemadas con fuego.

2 -Asimismo, quite simbólicamente el velo del luto.

3 -Corte y quite de manera simbólica la soga de su cuello y, junto al collarín que ha arrancado del cuello, decrete que son quemados por fuego.

4 -Renuncie al falso pacto matrimonial masónico, retirando del cuarto dedo de la mano derecha el anillo de este falso matrimonio, decretando que es quemado por fuego.

5 -Quite, simbólicamente, de su cuerpo las cadenas y esclavitudes de la francmasonería.

6 -Quite, simbólicamente, todas las vestiduras y armaduras masónicas, especialmente el mandil.

7 -Retire simbólicamente de los tobillos, las cadenas y los grillos.

8 -Quite de sobre su cabeza las espadas que lo cubren.

9 -Simbólicamente, salga del ataúd, decretando que sale

de toda región de muerte donde fue hecho cautivo.

10 -Si su nombre propio está asociado al nombre de alguna deidad o con un ancestro que estuvo en la masonería, renuncie a su nombre y pídale a Dios un nombre nuevo. Escriba su antiguo nombre en un papel y quémelo, en el nombre de Jesús.

11- Todos los escudos familiares están asociados a la masonería, consiga el escudo de su familia y quémelo decretando que es quebrantado todo pacto masónico sobre el apellido de toda su casa.

Oración de Conclusión

Espíritu Santo, te pido que me muestres cualquier otra cosa que debo hacer o por la cual debo orar, para que mi familia y yo podamos ser totalmente libres de las consecuencias de los pecados de masonería, brujería, mormonismo y todo paganismo y ocultismo relacionado.

Haga una pausa mientras escucha a Dios, y ore porque el Espíritu Santo lo dirija.

Ahora, querido Padre Dios, te pido humildemente que por la Sangre de Jesucristo, tu Hijo y mi Salvador, me limpies de todos estos pecados que he confesado y renunciado, que limpies mi espíritu, mi alma, mi mente, mis emociones y cada parte de mi cuerpo que ha sido afectada por estos pactos y maldiciones en el nombre de Jesucristo. También ordeno que cada célula de mi cuerpo entre ahora en el orden divino y que sea sanada e integrada como fue el diseño de mi amoroso Creador, incluyendo la restauración de Espíritu, todo desequilibrio químico y funciones neurológicas, controlando todas las células cancerígenas e invirtiendo toda enfermedad degenerativa, en el nombre del Señor Jesucristo. Te pido Señor que me bautices ahora en tú Espíritu Santo, según las promesas de Tú Palabra. Me regocijo en tú protección y en tú poder. Ayúdame a caminar en tu justicia y a nunca volver atrás. Te entrono, Señor Jesús, en mi corazón, porque Tú eres mi Señor y Salvador, la fuente de vida. Gracias, Padre Dios, por Tú misericordia, Tú perdón y Tú amor, en el nombre de Jesucristo, amén.

Recomiendo a todos nuestros lectores, como seguimiento para una liberación completa y para que vean el poder de Dios manifestándose en sus vidas, que lean mis libros: La Iniquidad, Comed de mi Carne y Bebed de mi Sangre y Regiones de Cautividad. Estos son libros de profunda revelación del mundo espiritual que cambiarán dramáticamente sus vidas.

Apéndice

1.- MASONERÍA HISTÓRICA

El rito de la Orden de los CABALLEROS HUMANITARIOS DE LA CIUDAD SANTA es manifestado en tres épocas: La primera antes de David, la segunda en 1118 y la tercera en 1313. En 1782 se alió al Gran Oriente de Francia.

Aún cuando se acepta la fecha de la fundación de las primeras logias en 1641, las pruebas tangibles son registradas de 1655 a 1670.

El rito de los ANTIGUOS MASONES LIBRES Y ACEPTADOS DE INGLATERRA fue fundado en 1717. Este rito comprendía siete grados y funcionaba dando a todo hombre de buenas costumbres la posibilidad de iniciación.

En 1720, Juan de Toland inauguró el Rito SOCRÁTICO que fue una asociación oculta de panteístas.

En 1721, el sistema de SWEDENBORG vino a poner un valor místico a la fundación de Toland. Esta Masonería tuvo ocho grados de los cuales el último "Kadosh" era conferido como convenía, más a los elementos de realización espiritual que a los "maestros en cábala".

El Barón de RAMSAY creó una Masonería en Francia, en 1728, que tomó su nombre y que funcionó con tres grados de los cuales el último tenía el título de Caballero del Templo.

EL RITO DE LOS CAPÍTULOS IRLANDESES, se constituyó en 1730. Este mismo año de 1730, se inaugura la MASONERÍA DE ADOPCIÓN que no fue reconocida por el Gran Oriente de Francia hasta 1774.

En 1739, se forma en Silesia una orden religiosa Francmasónica denominada RITO DE LA CONGREGACIÓN DE LOS HERMANOS MOROVIA.

EL RITO DE LOS ILLUMINATI O ILUMINADOS, se manifiesta en 1745 conforme al manual de Swedenborg.

En 1747, E. Estuard funda en Arrás (Francia) el CAPITULO PRIMORDIAL DE LA ROSACRUZ.

En 1758, se funda en París la Masonería de HEREDÓN o mejor dicho de PERFECCIÓN con veinticinco grados; es la primera vez que aparecen grados tan elevados.

EL RITO ESCOCÉS PRIMITIVO presenta tres categorías: la primera en París, en 1758, constituida por veinticinco grados iniciáticos; la segunda se funda en Narbonne (Francia) con diez grados solamente, y la tercera en Namur (Bélgica), pero los treinta y tres grados no aparecen hasta 1818.

EL RITO MODERNO FRANCÉS hace su aparición en París, en 1761. Fue constituido en 1772 y proclamado en 1773 por el Gran Oriente de Francia bajo la obediencia del Gran Maestre de la Masonería Francesa, Felipe de Orleans, Duque de Chartres. En 1774, deseosos de encontrar una fórmula que armonizara las doctrinas heterogéneas diseminadas en abigarrado conjunto de grados, el Gran Oriente encargó a una comisión de masones de lo más distinguido, en medio de los cuales figuraban Bacon de la Chevalerie, el Conde de Stroganof, el Barón de Toussaint y otros, proceder a un estudio detallado y una revisión de todos los sistemas conocidos para formular un nuevo rito compuesto por el menor número de grados posibles. Sin embargo, esta comisión, vista la amplitud del asunto, renunció a su tarea y propuso al Gran Oriente suprimir todos los altos grados. Esto fue aceptado por el Gran Oriente, quien decidió sólo reconocer los tres grados iniciáticos del simbolismo. Pero más tarde se volvieron a aceptar los siete grados originales que son:

Grados Azules y simbólicos: 1.- Aprendiz; 2.- Compañero; 3.- Maestro

Grados Superiores: 4.- Elegido; 5.- Escocés; 6.- Caballero de Oriente; 7.- Rosacruz.

En 1766, en Marbourg, Rosa-Cruces reformados, toman el nombre de MASONERÍA SCHROEDER y practican seriamente la Magia y la Alquimia.

En este mismo año, el Barón Tschoudy funda en París el Rito de LA ORDEN DE LA ESTRELLA FLAMÍGERA, con diez grados.

EL RITO DE LA INICIACIÓN DE LOS SACERDOTES se forma en 1767, en Berlín, con siete grados, de los cuales el último es el de profeta o SAPHENATH PANCAH.

En 1771, Adam Weishaupt funda el RITO DE LOS

ILUMINADOS DE BAVIERA, con trece grados, de los cuales el último es Hombre Rey.

En 1774, Bruneteau funda el RITO ESCOCÉS FILOSÓFICO, de la Logia madre de Francia.

En 1776, copia Boileau la iniciación Hermética de Montpelier y forma en París un grupo que él denomina RITO ESCOCÉS FILOSÓFICO, comprendiendo, aparte de los tres primeros grados tradicionales de base, los diez grados siguientes:

4.- Caballero del Sol
5.- Caballero del Fénix
6.- Sublime Filósofo
7.- Caballero de Iris
8.- Verdadero Masón
9.- Caballero de los Argonautas
10.- Caballero del Vellocino de Oro
11.- Gran Inspector Perfecto Iniciado
12.- Gran Inspector o Gran Escocés
13.- Sublime Maestro del Anillo Luminoso

En 1777, los Jesuitas de Escocia conciben la idea de imitar la Francmasonería y se agrupan bajo el nombre del Arco Real (Más conocido bajo la denominación del RITO DE YORK, lugar donde estaba la capital de las corporaciones de los masones de Inglaterra). Este rito se compone de cuatro grados, cifra que domina en su régimen y que es el de los votos de la Compañía de Jesús.

Estos grados son: 1) Past Master; 3) Súper Excelente Masón y 4) Holy Royal Arch.
En América este rito se compone de los nueve grados siguientes:

1)- Aprendiz; 2) – Compañero; 3)- Maestro; 4)- Past Master; 5)- Mark Mastera; 6)- Muy Excelente Maestro; 7)- Real Arco; 8)- Real Maestro; 9) Elegido Maestro.

En 1779, José Bálsamo, llamado Cagliostro, funda su famoso RITO EGIPCIO, que era una especie de Masonería de Adopción, con tres grados fundamentales, donde se trataba sobre todo de seguir no solamente las iniciaciones según el conocimiento de los sacerdotes de las pirámides, sino también profesar la magia, las astrologías, etc.

En 1780, se abre una Logia del RITO DE LOS PHILADELPHES DE NARBONNE. En su origen este rito comprendía seis grados, el último era el Príncipe de Jerusalén. Luego se le agregaron otros cuatro para terminar con el título de Rosa Cruz del Gran Rosario.

En 1782, se forma el rito del GRAN CAPÍTULO GENERAL DE FRANCIA. En 1782, desaparece del público el rito de la ORDEN DE LA ESTRICTA OBSERVANCIA que había tenido nacimiento con Pedro de Aumont. Aparte de la Orden de Cristo, que es el reagrupamiento de los templarios emigrados, La Estricta Observancia es la única institución que mantenía algunas relaciones con la célebre caballería. La Orden de la Estricta Observancia queda como hasta cierto punto como modelo de la institución fraternal, porque la Orden de Cristo es más bien la reconstitución de una parte de la Caballería del Templo, pero en su estado religioso, mientras que la Estricta Observancia lo era más bien en el dogma esotérico. Gracias a que algunos elementos que después de la disolución se siguieron reuniendo en grupos secretos una parte de la institución templaria ha podido ser protegida.

Hacia el fin de 1786 es cuando aparece en Francia el famoso RITO ESCOCÉS ANTIGUO Y ACEPTADO, que fue más tarde formado en Escocia, en 1846. Esta rama de la Masonería ha tomado una gran importancia por ser la más exotérica, es decir, la que abre más fácilmente sus puertas al mundo profano. Es tan popular para muchos neófitos, que ella representa no solamente un rito sino la Masonería entera. El grueso público no la ignora y sus treinta y tres grados han pasado al lenguaje corriente.

Los treinta y tres grados son los siguientes:

GRADOS SIMBÓLICOS (Masonería Azul)

- Aprendiz
- Compañero
- Maestro

GRADOS CAPITULARES (Masonería Encarnada)

- Maestro Secreto
- Maestro Perfecto
- Secretario Intimo
- Preboste y Juez
- Intendente de los Edificios
- Maestro Elegido de los Nueve
- Maestro Elegido de los Quince
- Sublime Caballero Elegido
- Gran Maestro Arquitecto
- Gran Maestro del Arco Real
- Gran Elegido Perfecto o de la Bóveda Sagrada Sublime Masón
- Caballero de Oriente o de la Espada
- Príncipe de Jerusalén
- Caballero de Oriente y de Occidente
- Príncipe Soberano, Rosa Cruz o Caballero Rosa Cruz

GRADOS FILOSÓFICOS (Masonería negra)

- Gran Pontífice de la Jerusalén Celeste o Sublime Escocés
- Venerable Gran Maestro de las Logias Regulares
- Caballero Prusiano o Patriarca Noaquitas
- Príncipe del Líbano o Caballero del Arco Real
- Jefe del Tabernáculo
- Príncipe del Tabernáculo
- Caballero de la Serpiente de Bronce
- Príncipe de la Gracia o Escocés Trinitario

- Gran Comendador del Templo
- Caballero del Sol
- Gran Escocés de San Andrés
- Gran Elegido Caballero Kadosh o del Águila Blanca y Negra

GRADOS SUBLIMES (Masonería blanca)

- Gran Inspector Inquisidor Comendador
- Sublime y Valiente Príncipe del Secreto Real
- Soberano Gran Inspector General

En 1801, Cuvalier de Trie funda LA ORDEN SAGRADA DE LOS SOPHISTICOS, cuyo tercer y último grado es Miembro de los Grandes Ministros.

Es en Italia donde aparece, en 1805, el RITO EGIPCIO O JUDAICO, mejor conocido como MISRAIM.

El rito Misraim, tiene noventa grados simbólicos: del 1 al 33 filosóficos; del 34 al 36, místicos; del 66 al 67, herméticos; del 78 al 90. Este rito ofrece una escala iniciática extensa para delimitar las categorías de los individuos. Conserva un simbolismo en la enseñanza que es muy apreciable porque se acerca más a los Ministerios Antiguos que los otros ritos. Su sistema ritual está bien presentado, especialmente en lo que concierne a los valores esotéricos.

El rito de la ORDEN DEL TEMPLO, que había dado nacimiento a la orden de la Estricta Observancia en la época de su existencia oculta, sólo se manifiesta en abril de 1808. En 1816, algunos compañeros de Napoleón se habían agrupado en masonería bajo el nombre de RITE DES NOAQUITES FRANCAIS. En 1839, Marconis y Moutet, en Francia, ponen en actividad el viejo Rito Oriental llamado de Menfis con sus 97 grados. Aparte de los ritos cuya lista hemos dado, es necesario todavía agregar el RITO ALEJANDRINO que fue especialmente formado para respetar las bases de enseñanza de la astronomía; a menudo se le ha calificado de RITO ISIACO por la devoción al falo que se practicaba ahí, relacionado a los misterios de Isis. No es posible de verdad en el limitado espacio de ese pequeño libro referir la leyenda de Horus y toda la mitología Osiriana.

De paso, nombremos el RITO ANTIGUO REFORMADO variante del modelo francés, practicado en Bélgica y en Holanda; el RITO DE LOS LEONES, que está sobre todo basado en la enseñanza de Zoroastro y la práctica de la astrología. Aún será necesario agregar el RITO NACIONAL MEXICANO, que funciona con 33 grados, siendo el último Gran Inspector General de la Orden; el RITO ÓRFICO.

2 .- LA REENCARNACIÓN.

Quiero tocar en forma breve el tema de la reencarnación, ya que muchas personas han tenido experiencias en las que aseguran haber vivido en otras épocas.

Una amiga mía que estuvo involucrada con el esoterismo tuvo una revelación muy acertada de parte del Espíritu Santo de Dios.

TESTIMONIO DE HERTA

"En aquéllos tiempos en que yo estaba en esos caminos, creía en la reencarnación. Cuando comencé a caminar con el Señor Jesucristo y conocí su palabra, que dice que el hombre muere una vez y después de esto el juicio, le pedí que me dijera de qué manera podía yo enseñarle a la gente que creía en la reencarnación ya que está no era la verdad. Un día, mientras yo lavaba los platos en mi casa, me habló el Espíritu Santo y me dijo: mira, el espíritu del hombre es eterno, por tanto los espíritus inmundos también lo son. Cuando el hombre muere, su espíritu vuelve a Dios que lo dio. El espíritu inmundo necesita un cuerpo físico para habitar y manifestarse y dice la Palabra que cuando éste sale del hombre (sea por su muerte o por liberación) vaga, buscando un lugar donde habitar. Entonces, lo que sucede es que estos espíritus inmundos han conocido a distintas personas durante muchas épocas, luego vienen y le dicen a aquélla en quien ahora habitan, que esta tuvo vidas pasadas, señalándole nombres, lugares y situaciones. El diablo es un mentiroso y la reencarnación es una de sus grandes falsedades".

La reencarnación es un proceso de purificación espiritual a través del cual el hombre va escalando en su escala espiritual de vida en vida, como lo afirman las filosofías orientales. Si esto fuera verdad lo lógico sería que hoy estaríamos viviendo un mundo sublime. Pero la realidad parece indicar lo contrario, nunca el mundo ha estado tan viciado y corrupto como lo está hoy. Nunca ha habido tanta maldad ni tanta violencia mientras que los valores humanos se pierden día a día.

BIBLIOGRAFÍA

- LA BIBLIA VERSIÓN REINA VALERA REVISIÓN 1960
  Inspirada por Dios, escrita por más de 40 autores.

- EL LIBRO NEGRO DE LA FRANCMASONERÍA
  De la Ferrière Serge Raynaud, 4 Ed. Diana, Editorial Menorah, 1985, pp.139.

- MANUAL DEL APRENDIZ
  Lavagnini, Aldo 7ª Ed., Editorial. Kier, Bs. As.170 pp.

- EL SIMBOLISMO HERMENÉTICO
  Oswald Wirth

- LITURGY OF THE ANCIENT AND ACCEPTED SCOTTISH RITE, PART II, III, IV.

- **EL KYBALIÓN**
  Tres Iniciados. Un estudio sobre la filosofía hermética del antiguo Egipto y Grecia. Traducido por Manuel Algora Corbi. Barcelona: Luis Carcamo Editor.

- **THE SILVA MIND CONTROL METHOD**
  Silva, Jose, Pocket Books. First Pocket Printer 1978, New York, USA, pp. 223.

- **ALQUIMIA**
  Burckhardt, Titus, Paidos Iberica Ediciones S A, 1994, pp. 200.

- **LA TRADICIÓN HERMÉTICA**
  Julius, Evola, Ediciones Martínez Roca, Madrid, 1975, pp. 270.

- **SÍMBOLOS FUNDAMENTALES DE LA CIENCIA SAGRADA**
  Guénon, René, Sophia Perennis, 2 Edition, 2004, pp. 476.

- **MASONERIA. Símbolos y Ritos.**
  Ariza, Francisco, Editorial Symbolos, Barcelona 2002. pp. 224.

- **SECRETOS DE LA HISTORIA**
  De la Cierva Ricardo, Editor Fenix, 2003, pp. 264.

- **LA VIDA OCULTA DE LA MASONERÍA**
  Leadbeater C.W., Berbera Editores, 2005, pp. 288.

- **A LOS PIES DEL MAESTRO**
  Krishnamurti, J., 1 Ed. 22 Reimp, Bs. Aires, 2007, Kier.

- **THE SECRET DOCTRINE**
  Blavatsky, Helena, the Theosophical Publishing Company Limited, London, 1888. pp. 675.

- THE BOOK OF THE MASTER OF HIDDEN PLACES
  Adams, Marsham W., Kessinger Publishing, 2003 pp. 236.

- THE ARCANA OF FREEMASONRY
  Churchward, Albert, Cosimo Inc, 2007, pp. 326.

- DIARY OF A FREEMASON
  Vaughan, David, Sovereign World, Chichester, England pp.198.

- THE BOOK OF DEAD
  Budge, E. A. Wallis. The book of the Dead. The chapters of coming forth by day, Volume 1. Londres, 1898.

- ANTI-MASONRY
  Oxford English Dictionary (Compact Edition), Oxford University Press, 1979, pp. 369.

- THE NEW WORLD ORDER
  Robertson, Pat Thomas Nelson, 1992, pp. 336.

- PROOFS OF A CONSPIRACY
  Robinson, John, 4 Ed. New York,1798, pp. 134.

- LOST KEYS OF FREEMASONRY
  Hall, Manly, Philosophical Research Society Inc; 2nd Edition, 1996, pp. 110.

- SPECULATIVE MASONRY
  Yarker, John, London, 1883, pp. 563.

- LEXICON OF FREEMASONRY
  Mackey, Albert George Kessinger Publishing, LLC, 1994, pp. 528.

- ENCYCLOPEDIA OF FREEMASONRY
  Mackey, Albert, Kessinger Publishing, LLC, Virginia, 1994, pp. 528.

- MORALS AND DOGMA OF THE ANCIENT AND ACCEPTED SCOTTISH RITE OF FREEMASONRY.
  Pike, Albert Rite Freemasonry. City: Kessinger Publishing, LLC.

  .

- ROSE CROIX:
  History of the Ancient and Accepted Rite for England and Wales / A.C.F. Jackson
  Practice and Procedure for the Scottish Rite / Henry C. Clausen

- THE MAGNUM OPUS OR GREAT WORK
  Pike, Albert; Kessinger Publishing Co.

- LEGENDA MAGISTRALÍA
  (Para uso exclusivo de los Soberanos Grandes Inspector Generales) Pike, Albert

- INSTRUCCIONES SECRETAS DE LOS SOBERANOS GRANDES INSPECTORES GENERALES (Para la guía de Logias, Capítulos y Consejos)
  De la Jouquiere, Vizconde

- THE SECRETE FRATERNITIES OF THE MIDDLE AGES
  Palfrey, Americo Kessinger Publishing, 1865, pp.100.

- THE BOOK OF ANCIENT AND ACCEPTED SCOTTISH RITE
  Mac-Clenanchan, Charles Thomas Scanned at Phoenixmasonry, Inc. by David Lettelier, PM and Jerry Stotler, PM, PIGM, KYCH and KCCH - May, 2006.

- THE MASONIC MANUAL
  Ashe, Jonathan, Rev. George Oliver, Kessinger Publishing, 2003, pp. 336.

- RITUAL DEL SOBERANO GRAN INSPECTOR GENERAL
  Conde Grasse Tilly

- A HISTORY OF CHRISTIANITY
Kenneth Scott, Latourrette. Christianity in a revolutionary age: a history of Christianity in the nineteenth and twentieth centuries, Volume 3, Eyre & Spottiswoode, 1961, pp. 527.

- MERE CHRISTIANITY
Lewis, C.S. HarperOne; 3rd edition, 2001, pp. 27.

- MIRACLES A PRELIMINARY STUDY
Lewis, C.S., Touchstone Books; 1st Touchstone Ed.edition, 1996, pp. 240.

- NUEVA EVIDENCIA QUE DEMANDA UN VEREDICTO
McDowell, Josh, Vida; Ed. Mundo Hispano, 2004, pp. 823.

- CRAZY FOR GOD:
How I Grew Up as One of the Elect, Helped Found the Religious Right, and Lived to Take All (or Almost All) of It Back, New York: Carol & Graf Publishers, 2007.

- A CHRISTIAN MANIFESTO
Schaeffer, Francis, Volume 5, pp. 486.

- BABILONIA MISTERIO RELIGIOSO
Woodrow, Ralph, Vida, 2008, pp. 264.

- UNMASKING FREEMASONRY - REMOVING THE HOODWINK
Desenmascarando la Masonería - Removiendo la Venda, por Dr. Selwyn Stevens, y publicado por Jubilee Resources.
P. O. Box 36-44. Wellington 6330, Nueva Zelanda.

- THE EMERALD TABLE
Holmyard, E.J. Nature, No. 2814, Vol. 112, October 6 1923, pp. 526.

- LA FRANCMASONERIA
Jacq, Christian, 2 Ed. 2004, Madrid, Ediciones Martinez Rosa, pp. 132.

- REGLAMENTO GENERAL DEL GRAN ORIENTE DE FRANCIA 1885.

- LA CADENA DE UNIÓN TOMO XXII NÚMERO DE MARZO DE 1886.

- REGLAMENTOS GENERALES DE LA MASONERÍA ESCOCESA, PARIS 1884.

- TRATADOS MASÓNICOS
  Samuel Mario Molina del Angel

- NINEVEH AND ITS REMAINS
  LLayard, A. H: London: John Murray, 1849.

- GRUPO DELIKER
  http://newsgroups.derkeiler.com/Archive/Soc/soc.
  culture.argentina/2009-07/msg00352.html

Voice Of The Light Ministries

La Revelación del mundo
espiritual, la forma más
poderosa de ser liberado.

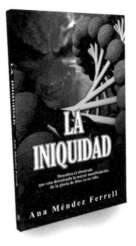

Descubra el obstáculo que está
deteniendo la mayor manifestación
de la gloria de Dios en su vida.

Creer como Jesús creyó,
conozca el poder ilimitado
para cambiar el mundo.

La revelación de la verdadera
herencia que Jesús nos dejo en el
sacramento de la Santa Cena.
Audiolibro, 5 CDs.

www.VoiceOfTheLight.com